LE MASQUE
Collection de romans d'aventures
créée par
ALBERT PIGASSE

———

MEURTRE INDEXÉ

D0226641

Ruth Rendell

MEURTRE INDEXÉ

Traduction de Joseph Valensi

Librairie des Champs-Élysées

Ce roman a paru sous le titre original :

SHAKE HANDS FOR EVER

© RUTH RENDELL, 1975
(Hutchinson Publishing Group Limited)
© LIBRAIRIE DES CHAMPS-ÉLYSÉES, 1983, POUR LA TRADUCTION FRANÇAISE.

*Tous droits de traduction, reproduction, adaptation, représentation
réservés pour tous pays.*

I

Sous le panneau des départs de la gare Victoria, le corps massif, le visage aux traits durs, une femme attendait. A ses pieds était posée l'inusable valise de cuir marron qu'elle avait emportée en voyage de noces quarante-cinq ans auparavant. A mesure qu'elle observait les banlieusards pressés, ses lèvres se serraient au point que sa bouche ne formait plus qu'une ligne mince.

Elle attendait son fils. Il avait une minute de retard et ce manque de ponctualité lui faisait plaisir. Le moindre faux pas, la moindre défaillance des autres lui procurait toujours une satisfaction intense. Cependant, cette sensation de bien-être allait vite s'évanouir avec l'arrivée précipitée de Robert, pour faire place à son habituelle mauvaise humeur. Robert étant *presque à l'heure*, toute remarque sur son retard eût paru absurde. Aussi se contenta-t-elle d'offrir sa joue rugueuse aux lèvres de son fils.

— Enfin, te voilà !

— As-tu pris ton billet, mère ?

Elle s'en était bien gardée. S'il ne roulait pas sur l'or depuis son remariage, trois ans auparavant, c'était de sa faute. Elle n'allait pas l'encourager en participant aux frais.

— Tu ferais bien d'aller vite les chercher, répondit-elle, à moins que tu ne préfères que nous manquions le train.

Et elle serra encore plus étroitement son sac à main.

Il tardait à revenir. Elle avait noté que le train de Kingsmarkham partait à 18 h 12 et il était déjà 17 h 30. Elle n'espérait pas vraiment manquer le train, trouver sa belle-fille en larmes, la maison sale et le repas non préparé. Pourtant, elle sentait que ce week-end allait mal tourner. L'idéal eût été qu'ils arrivent en retard sans qu'elle en fût responsable et que ce retard provoque une dispute entre Robert et Angela.

Ils prirent néanmoins le train mais il était bondé et ils durent rester debout. Mrs Hathall était du genre à ne jamais se plaindre, à s'évanouir plutôt que d'alléguer son âge ou ses varices pour qu'un homme lui cède sa place. Engoncée dans son manteau boutonné jusqu'au cou, elle se planta de telle manière que le voyageur occupant le coin fenêtre ne puisse ni bouger les jambes ni lire le journal. Elle n'avait qu'une seule chose à dire à son fils et cela pouvait attendre qu'il y ait moins d'oreilles à l'écoute et elle aurait été surprise que Robert eût, lui, quoi que ce fût à lui raconter. N'avaient-ils pas été tous les soirs ensemble depuis deux mois, sauf durant les week-ends ? Mais les gens sont enclins à bavarder quand ils n'ont rien à dire. Même son propre fils. Elle l'écouta, l'air renfrogné, tandis qu'il faisait des remarques sur le paysage.

Quand il lui affirma qu'Angela brûlait de la voir, elle émit une sorte de grognement qu'on aurait pu à la rigueur prendre pour un rire. Elle pensait à la seule et unique fois où elle avait rencontré sa belle-fille à Earls Court. Ce jour-là, Angela avait eu l'imprudence de parler d'Eileen comme d'une traînée. Angela aurait beaucoup à faire, beaucoup à compenser avant qu'on le lui pardonne. Mrs Hathall avait quitté la pièce, droite comme un I, résolue à ne jamais revoir, *sous aucun prétexte*, sa belle-fille. Elle montrait ce jour-là sa magnanimité en acceptant de se rendre à Kingsmarkham.

A Myringham, le voyageur du coin fenêtre descendit du train en chancelant, les jambes engourdies. Mrs Hathall prit sa place. Robert paraissait de plus en plus inquiet. Rien d'étonnant à cela : il savait pertinemment que cette Angela n'était pas de taille à rivaliser avec Eileen question cuisine ou tenue du ménage, et il devait se demander jusqu'à quel point elle se montrerait inférieure à sa première femme.

— Angela a passé toute la semaine à astiquer la maison à fond pour que tu t'y sentes bien.

Mrs Hathall eut un haut-le-corps. Qu'on pût déclarer une chose pareille à haute voix et dans un compartiment rempli de monde la choquait. Elle fut tentée de rétorquer que, premièrement, il devrait baisser le ton et que, deuxièmement, toute femme comme il faut garde son intérieur propre en permanence. Au lieu de cela, elle se contenta d'un *elle n'a pas besoin de se mettre en quatre pour moi* et d'ajouter d'une voix contenue qu'il était temps qu'il lui descende sa valise.

— Mais il reste encore cinq minutes, mère.

En guise de réponse, elle se leva lourdement pour prendre seule la valise. Robert et un autre voyageur intervinrent pour l'aider. La valise manqua de tomber sur la tête d'une jeune femme tenant un bébé dans les bras.

Sur le quai, elle lança :

— Ça ne serait pas arrivé si tu avais fait comme je te l'avais demandé. Tu as toujours été têtu.

Elle n'arriva pas à comprendre pourquoi il ne répliquait pas du tac au tac. Il devait être encore plus soucieux qu'elle ne le pensait. Pour l'asticoter davantage, elle ajouta :

— Nous prenons un taxi ?

— Angela nous attend avec la voiture.

Il ne lui restait plus beaucoup de temps pour dire à son fils ce qu'elle avait à lui raconter. Elle lui passa la valise et s'empara de son bras d'une manière possessive. Non qu'elle eût besoin d'être soutenue, mais elle jugeait indispensable que sa belle-fille — que c'était humiliant et irritant d'avoir deux belles-filles ! — les vît au premier coup d'œil, bras dessus bras dessous.

— Eileen est venue ce matin, dit-elle en donnant son billet.

Il haussa les épaules, l'air absent.

— Je me demande pourquoi vous ne vivez pas ensemble, toutes les deux.

— Cela te simplifierait les choses. Tu n'aurais pas à lui assurer un toit.

Mrs Hathall resserra son étreinte sur le bras qu'il avait essayé de dégager.

— Elle m'a chargée de t'exprimer son affection et s'étonne que tu ne passes pas la voir, un soir, quand tu es à Londres.

— Tu veux plaisanter ? répondit Robert en scrutant le parking.

Toute à son idée, sa mère reprit :

— C'est vraiment une honte...

Elle s'arrêta soudain au milieu de la phrase. Elle aussi avait remarqué que la voiture de Robert n'était pas là.

— Angela ne semble pas s'être donné le mal de venir à notre rencontre ! s'exclama-t-elle.

— Le train avait deux minutes d'avance...

— Non, il en avait trois de retard.

Mrs Hathall poussa un soupir de bonheur. Eileen serait venue, elle. Elle se serait trouvée sur le quai, aurait fait une grosse bise à sa belle-mère et lui aurait promis une réconfortante tasse de thé. Sa petite-fille aussi aurait été là... Elle remarqua comme pour elle-même, mais assez fort pour être entendue :

— Pauvre petite Rosemary !

Cela ressemblait vraiment peu à Robert — lui, son digne fils — d'accepter ces attaques sans réagir, mais une fois de plus, il ne répliqua rien.

— Aucune importance, se contenta-t-il de répondre. Nous n'habitons pas très loin.

— Je peux marcher, dit-elle sur le ton stoïque de quelqu'un qui s'attend à des épreuves encore plus pénibles. J'ai l'habitude.

Ils remontèrent les abords de la gare, traversèrent la grand-rue de Kingsmarkham et s'engagèrent dans Stowerton Road. Cette soirée de septembre s'annonçait belle avec le soleil couchant embrasant l'air, les arbres lourdement chargés de feuilles et les jardins resplendissant des dernières mais plus belles fleurs de l'été. Mrs Hathall n'y prêta guère attention, préoccupée qu'elle était par l'attitude de son fils. Son air absent ne pouvait signifier qu'une chose : cette Angela, cette briseuse de ménage, allait lui faire perdre la face et il le savait.

Ils tournèrent à Wood Lane, allée étroite et ombragée.

— Voilà ce que j'appelle une belle maison ! lança Mrs Hathall.

Robert leva les yeux sur une villa construite avant-guerre.

— C'est la seule habitation du coin en dehors de la nôtre. Une veuve, une certaine Mrs Lake, y demeure.

— Dommage que ce ne soit pas la tienne, rétorqua-t-elle d'une voix riche de sous-entendus. Est-ce encore loin ?

— Non : après le prochain tournant. Je me demande ce qui est arrivé à Angela... Je suis désolé, mère, vraiment désolé.

Elle fut si surprise qu'il s'écartât de la tradition familiale au point de s'excuser, qu'elle en demeura sans voix. Lorsque le cottage fut en vue, elle fut déçue : c'était une vraie maison, vieille mais décente, en brique brune, avec un joli toit d'ardoises. Mrs Hathall constata au premier coup d'œil que le jardin n'était pas soigné. Les parterres de fleurs étaient envahis par les mauvaises herbes, et des prunes pourries jonchaient le sol.

Elle émit un *hum !* caractéristique comme chaque fois que les choses se présentaient telles qu'elle les avait imaginées. Robert introduisit la clé dans la serrure de la porte d'entrée et l'ouvrit en grand.

— Tu peux entrer, mère.

Il était bouleversé, ça ne faisait aucun doute. Elle le vit à sa manière de pincer les lèvres tandis qu'un muscle tressautait dans sa joue gauche.

— Angela, c'est nous ! cria-t-il d'une voix dure.

Mrs Hathall le suivit dans la salle de séjour. Là, elle eut du mal à en croire ses yeux. Où étaient les tasses à thé sales, les verres de gin avec des marques de doigts, les vêtements éparpillés, les miettes et la poussière qu'elle s'attendait à y trouver ? Plus carrée que jamais, elle se planta sur la moquette immaculée et pivota lentement, détaillant le plafond pour y trouver des toiles d'araignée, et les cendriers pour y découvrir quelque mégot oublié. Elle fut saisie d'un étrange frisson qui la mit mal à l'aise.

— Je me demande où Angela a bien pu aller, dit Robert. Je vais voir dans le garage si la voiture y est. Veux-tu monter, mère ? Ta chambre est la grande, tout au bout.

Mrs Hathall se rendit d'abord dans la salle à manger pour constater que la table n'était pas mise. Dans la cuisine, d'une propreté irréprochable, des gants de caoutchouc et des gants pour le ménage étaient posés près de l'évier, mais aucun signe de préparation d'un repas. Elle se décida alors à monter. Sur le palier, elle essuya du doigt la moulure d'un tableau. Pas un brin de poussière. On eût dit que le cadre venait d'être repeint. La chambre qu'on lui avait dévolue était aussi propre que le reste de la maison. Le lit avait de jolis draps roses à rayures, et du papier de soie tapissait l'intérieur d'un tiroir de la coiffeuse, resté ouvert. Les incontestables qualités de femme d'intérieur d'Angela n'atténuèrent pas pour autant l'antipathie que Mrs Hathall éprouvait à son endroit. Nul doute que d'autres défauts ne contrebalancent — et au-delà — ces qualités.

Mrs Hathall pénétra dans la salle de bains : émail poli, serviettes moelleuses, savon de qualité. Elle fit la moue. Robert n'était pas aussi démuni qu'il le prétendait. Pour la deuxième fois, elle se sentit frustrée ; impossible de leur jeter leur pauvreté au visage.

Elle se lava les mains et revint sur le palier. La porte de la chambre à coucher était entrouverte. Elle hésita, mais la tentation d'y jeter un coup d'œil avec l'espoir d'y trouver un lit défait, voire un gâchis de pots de crème sales fut la plus forte. Elle entra dans la pièce avec précaution.

Sur le lit fait, une jeune femme était étendue à plat ventre, apparemment endormie, ses cheveux noirs ébouriffés répandus sur les épaules, le bras gauche jeté de côté.

— *Hum !* toussota Mrs Hathall, sentant monter en elle une bouffée de plaisir.

Angela n'avait même pas pris la peine d'ôter ses chaussures de toile avant de s'affaler, sous l'emprise de la boisson, sans doute. Elle était vêtue exactement comme à Earls Court, en blue-jeans délavés et chemise à carreaux rouges. Eileen, elle, était coquette ; elle portait toujours de jolies petites robes. Et elle ne se serait jamais étendue pour dormir dans la journée, si ce n'est à l'article de la mort.

Elle s'avança jusqu'au lit, les sourcils froncés.

— *Hum !* fit-elle de nouveau, mais c'était un *hum* de remontrance, destiné à signaler sa présence et provoquer une réponse immédiate, pleine de confusion.

Espoir déçu. Saisie d'une colère soudaine comme seuls les gens traités sans égards en ont parfois, elle posa la main sur l'épaule de sa bru, mais la retira aussitôt. La peau du cou était froide. Elle souleva alors le voile de cheveux recouvrant le visage et vit une joue enflée, bleuâtre.

La plupart des femmes se seraient mises à hurler. Pas Mrs Hathall. Elle se redressa et appuya sa main contre son cœur qui battait à tout rompre, tandis que son corps se tassait. Certes, elle savait ce qu'était la mort. Elle avait vu disparaître ses parents, son mari, ses oncles et tantes, mais jamais auparavant il ne lui avait été donné de voir ce que la marque violacée révélait : une mort violente. Profondément traumatisée, elle quitta la pièce d'un pas lourd.

Robert l'attendait au bas des marches. Dans la mesure où elle était capable d'amour, cette femme aimait son fils. Elle posa la main sur le bras de Robert et lui dit d'une voix hésitante, qu'elle voulait affectueuse :

— Il y a eu un accident. Tu ferais mieux de monter voir. Il est trop tard pour faire quoi que ce soit. Tâche de prendre ça en homme.

Il demeura immobile, ne proférant pas une syllabe.

— Elle est morte, Robert. Ta femme est morte.

Elle dut répéter car il ne semblait pas comprendre.

— Angela est morte.

Un malaise l'envahit. Elle sentait qu'elle aurait dû le prendre dans ses bras, lui murmurer quelques paroles de réconfort, mais il y avait bien longtemps qu'elle ne savait plus faire cela. Robert n'avait ni blêmi, ni rougi. Passant devant elle d'un pas ferme, il monta l'escalier. Elle resta à l'attendre, pétrifiée, la tête rentrée dans les épaules, se frottant les mains machinalement. Peu après, il lui cria d'une voix calme :

— Appelle la police, mère. Dis-leur ce qui s'est passé.

Soulagée de pouvoir faire quelque chose, elle trouva le téléphone sur une table basse et composa le numéro.

II

L'homme était grand mais pas assez fort pour sa charpente. Avec sa calvitie naissante et sa peau marbrée, il avait l'air maladif malgré ses traits énergiques. Il était effondré dans son fauteuil. Par contraste, sa mère se tenait bien droite, les mains posées sur les genoux, le regard dur, fixant son fils avec plus de sévérité que de sympathie.

L'inspecteur principal Wexford pensa à ces mères spartiates qui préféraient voir leurs fils ramenés morts sur leur bouclier plutôt que les savoir prisonniers. Il n'eût pas été surpris de l'entendre dire à son fils de se ressaisir. En fait, elle n'avait pas prononcé un seul mot jusque-là. Même lorsqu'elle les avait fait entrer, l'inspecteur Burden et lui, elle s'était contentée d'une brève inclination de tête. Elle faisait penser à une gardienne de prison ou une directrice d'hospice.

En haut, à l'étage, on entendait les pas des autres policiers. Le corps de la victime avait été photographié, puis son mari l'avait identifié avant le transport à la morgue. Mais les hommes de la police avaient encore beaucoup à faire. Ils inspectèrent la maison à la recherche d'empreintes, de l'arme du crime ou du moindre indice pouvant expliquer la mort. Tâche ardue, le cottage ne comportant pas moins de cinq grandes pièces, sans compter la cuisine et la salle de bains.

Le permis de conduire de la victime, son porte-monnaie et les autres objets trouvés dans son sac à main avaient été posés sur une table. Wexford feuilleta le passeport et lut : sujet britannique ; sans profession ; âge : 32 ; lieu de naissance : Melbourne, Australie ; taille : 1,65 m ; cheveux : châtain foncé ; yeux : gris ; signes particuliers : néant. Le passeport datait de trois ans et n'avait pas été utilisé. La photographie était assez ressemblante.

— Votre femme restait seule ici toute la semaine, Mr Hathall ? demanda-t-il en s'asseyant.

Robert fit signe que oui et ajouta d'une voix à peine audible :

— Avant, je travaillais à Toxborough, mais en juillet, j'ai trouvé un emploi plus intéressant à Londres. Malheureusement, je ne pouvais faire l'aller retour chaque jour. Alors j'habitais chez ma mère durant la semaine et je revenais pour les week-ends.

— Votre mère et vous êtes arrivés à 19 h 30, je crois ?

— 19 h 20, rectifia Mrs Hathall, ouvrant la bouche pour la première fois.

— Ainsi, vous n'avez pas revu votre femme depuis quand, Mr Hathall ? Dimanche dernier ? Lundi ?

— Dimanche. J'ai pris le train du soir pour Londres. Angela m'a conduit en voiture à la gare. Je... lui ai téléphoné tous les jours. Même aujourd'hui. A l'heure du déjeuner... Qui... qui a pu faire ça ? Qui a pu tuer mon Angela ?

Ces mots sonnaient faux. A croire qu'il les avait tirés d'une mauvaise pièce télévisée. Wexford savait cependant que le chagrin ne s'exprime parfois que par des platitudes. Nous ne faisons preuve d'originalité qu'à nos moments de bonheur.

— C'est ce que nous cherchons à découvrir, se contenta-t-il de répondre. Vous avez travaillé toute la journée ?

— Je suis comptable chez *Marcus Flower*, experts, Half Moon Street. Je n'ai pas quitté le bureau de la journée. Vous pouvez vérifier.

Wexford se passa la main sur le menton. Burden demeura impassible mais Wexford aurait juré que l'inspecteur pensait comme lui. Un silence s'ensuivit, puis Hathall étouffa un long sanglot et enfouit son visage dans ses mains.

— Ne te laisse pas aller, mon fils, dit Mrs Hathall, le buste toujours rigide. Supporte cette épreuve comme un homme doit le faire.

Wexford se demanda pourquoi il n'était guère ému. Est-ce qu'il s'endurcissait au point de ne plus éprouver qu'indifférence devant la souffrance humaine ? Ou bien y avait-il dans le comportement de cet homme une part de *cinéma* ? Il attendit que Robert Hathall ôte les mains de son visage. Pas une larme ne coulait sur ses joues sèches. Mais le fils d'une telle mère était-il capable de pleurer ?

— Votre voiture a disparu ?

— Elle n'était pas dans le garage quand je suis arrivé.

— Il me faut une description complète de la voiture et son numéro. Vous les donnerez au sergent Martin... Je vous conseille de prendre un calmant et d'essayer de dormir. Nous poursuivrons cette conversation demain matin.

Mrs Hathall claqua la porte derrière Burden et lui, comme elle l'eût fait pour deux démarcheurs indésirables. Wexford demeura quelques instants immobile, détaillant l'endroit. A la lumière des fenêtres de la chambre à coucher, il vit deux pelouses qui n'avaient pas été tondues depuis des mois et un prunier. L'allée menant à la sortie était dallée mais celle qui bordait la clôture n'était que cimentée.

— Où se trouve ce garage dont il parlait ?

— Derrière, sans doute, répondit Burden.

En contournant la maison, ils trouvèrent en effet une construction en amiante-ciment avec un toit en carton bitumé, invisible du chemin longeant la demeure.

— Si jamais elle était sortie se balader et avait ramené quelqu'un, dit Wexford, il y a de fortes chances qu'ils soient entrés en voiture dans ce garage à l'insu de tous. Ils auraient ensuite gagné la maison par la porte de la cuisine.

Un moment, ils contemplèrent en silence, à la clarté lunaire, les champs grimpant vers les collines boisées. Çà et là, une lumière scintillait au loin. En rejoignant la route, ils purent se rendre compte à quel point le cottage était isolé et le chemin retiré. Les talus couronnés d'arbres en surplomb en faisaient un tunnel sombre et peu fréquenté.

— L'habitation la plus proche est celle qui se trouve près de Stowerton Road. En dehors d'elle, il n'y a que Wood Farm à plus de huit cents mètres par là, remarqua Wexford en agitant le bras en direction du *tunnel*. On peut dire adieu à notre week-end. Je vous verrai demain à la première heure, Burden.

16

L'inspecteur principal Wexford demeurait au nord de Kingsmarkham, de l'autre côté de la rivière Kingsbrook. Lorsqu'il entra chez lui, sa chambre à coucher était éclairée et sa femme encore éveillée. Dora était une épouse bien trop calme et sensée pour attendre son mari, mais elle avait gardé ce soir-là le bébé de sa fille aînée et venait de rentrer. Il la trouva en train de lire au lit, un verre de lait chaud près d'elle. Il s'empressa de l'embrasser, plus tendrement que d'habitude, comme chaque fois qu'un drame extérieur venait lui rappeler combien il était heureux en ménage et quelle était sa chance d'avoir une femme comme la sienne. En se déshabillant il lui demanda si elle connaissait les occupants de Bury Cottage.

— Où se trouve le cottage en question ?

— A Wood Lane. Un certain Hathall y habite. Sa femme a été étranglée cet après-midi.

Trente ans de vie commune avec un policier n'avaient guère émoussé la sensibilité de Dora, néanmoins il était naturel qu'elle ne réagît pas en l'occurrence comme n'importe quelle femme.

— Quelle horreur ! dit-elle de son ton habituel, c'est affreux ! L'enquête s'annonce facile ?

— Je ne le sais pas encore. Eh bien, connaissais-tu ces gens ?

— La seule personne de Wood Lane que je connaisse est Mrs Lake. Elle est venue deux fois au cercle féminin mais je crois qu'elle avait trop à faire ailleurs pour s'embêter avec ça. Tout à fait le genre de femme que recherchent les hommes, tu saisis ?

— Ne me dis pas que le cercle féminin l'a expulsée ! s'exclama-t-il, mi-horrifié, mi-moqueur.

— Ne sois pas stupide, mon chéri. Nous n'avons pas l'esprit si étroit. Et puis, elle est veuve, après tout. Je me demande pourquoi elle ne s'est pas remariée.

— Peut-être est-elle comme George II !

— Pas du tout. Elle est très jolie. Mais que veux-tu dire au juste ?

— Sur son lit de mort, George II avait promis à sa femme qu'il ne se remarierait pas mais prendrait des maîtresses.

Tandis que Dora pouffait de rire, Wexford s'examinait dans la glace en rentrant le ventre. Grâce au régime, à l'exercice et à la terreur que son médecin lui inspirait, il avait perdu près de vingt kilos en un an. Les souffrances endurées avaient été payantes. Si seulement il y avait eu un moyen de faire repousser les cheveux...

— Viens te coucher, dit Dora. Si tu continues de faire le paon, je vais croire que tu as envie de prendre des maîtresses. Et je ne suis pas encore morte !

Il sourit et se mit au lit. Au cours de sa carrière, il avait vite appris à ne pas se tracasser sur une affaire pendant la nuit. Cette fois pourtant, après avoir éteint la lampe de chevet et s'être pelotonné contre Dora, il s'accorda quelques minutes de réflexion sur les événements de la soirée. Cette affaire ne présenterait peut-être pas beaucoup de difficultés. Angela Hathall était jeune, jolie, sans enfants. Bien qu'excellente femme d'intérieur, elle devait trouver le temps long durant la semaine, et les nuits bien solitaires. Quoi de plus naturel dans ce cas qu'elle ait ramené un homme à Bury Cottage ? Wexford savait qu'une femme n'a guère besoin d'être désespérée ou nymphomane pour se comporter de la sorte. En effet, l'attitude des femmes par rapport au sexe — quelles que soient les idées répandues de nos jours — diffère de celle des hommes. En gros, l'homme qui drague une inconnue le fait dans un but bien précis ; en général, la femme le sait, mais elle se cramponnera à l'idée qu'il veut seulement bavarder et peut-être l'embrasser.

Angela était-elle tombée sur un homme qui avait

voulu davantage et l'avait étranglée parce qu'il ne pouvait l'obtenir ?

Wexford s'endormit en se disant qu'il orienterait son enquête dans ce sens.

III

— Mr Hathall, dit Wexford, vous avez sans doute votre idée sur la manière dont cette enquête devrait être menée. Vous pensez peut-être que mes méthodes ne sont guère orthodoxes, mais ce sont les miennes et elles donnent des résultats. Il m'est impossible de conduire mon enquête sur des présomptions. Nous progresserons beaucoup plus vite si vous répondez à mes questions de manière simple et objective. Je vous les poserai dans le seul but de démasquer l'assassin de votre femme. Si vous vous entêtez à croire que certains faits ne concernent que votre vie privée, alors nous perdrons un temps précieux. Vous montrerez-vous plus coopératif, maintenant ?

Ce petit laïus faisait suite à la réaction de Hathall après que Wexford lui eut demandé si Angela avait l'habitude de prendre des inconnus en auto-stop. Hathall avait explosé :

— De quel droit mettez-vous en doute la moralité de ma femme ?

— La plupart des gens qui font monter des auto-stoppeurs dans leur voiture ne pensent qu'à rendre service, avait calmement rétorqué l'inspecteur principal.

Le veuf eut un geste d'impatience.

— Dans un cas pareil, j'aurais cru que vous vous intéresseriez aux empreintes digitales et... à des éléments de ce genre. Il est évident que quelqu'un est entré ici. Il aura laissé des empreintes. J'ai lu comment se mènent ces enquêtes. C'est une question de déduction à partir de cheveux, de traces de pas et... ma foi, d'empreintes digitales.

— Je ne néglige pas les empreintes. Comme vous avez pu le constater, la maison a été passée hier soir au peigne fin, mais nous ne sommes pas des magiciens. En découvrant un cheveu ou une marque de doigt à minuit, nous ne pouvons dire neuf heures plus tard à qui ils appartiennent.

— Quand serez-vous en mesure de le faire ?

— Dans le courant de la journée, j'aurai ma petite idée sur l'identité de celui qui est entré hier après-midi à Bury Cottage, et je saurai alors si c'est un inconnu ou pas.

— *Si c'est un inconnu ?* Bien sûr qu'il s'agit d'un inconnu ! Un tueur dément a pénétré ici par effraction je suppose et... a filé avec ma voiture. On ne l'a toujours pas retrouvée ?

— Je l'ignore, Mr Hathall, répondit Wexford d'un ton glacial. Je n'ai pas encore eu le temps de contacter mes inspecteurs. Et maintenant, si vous voulez bien répondre à la seule question que je vous ai posée, je vous laisserai un moment et j'irai bavarder avec votre mère.

— Ma mère ne sait absolument rien. Elle n'avait encore jamais mis les pieds ici.

— J'attends la réponse à ma question, Mr Hathall.

— Non, Angela n'avait pas l'habitude de prendre des hommes dans sa voiture ! cria Robert, le visage cramoisi. Elle était trop timide, trop craintive, même pour se faire des amis dans le coin. J'étais le seul à qui elle se fiait. Cela n'avait rien d'étonnant, après tout ce qu'elle avait enduré. L'homme qui est entré ici le savait, il savait aussi qu'elle était toujours seule.

Nous n'étions mariés que depuis trois ans et je l'adorais. Si je la laissais seule pendant la semaine, c'est parce que je ne pouvais faire l'aller retour dans la journée. Elle avait une peur bleue de demeurer seule, mais je lui avais demandé de tenir le coup pour moi, pour nous.

Robert Hathall posa le bras sur le dossier de son siège et enfouit son visage au creux de son coude, le corps secoué de tremblements. Wexford le contempla pensivement sans rien dire, puis se dirigea vers la cuisine où Mrs Hathall lavait la vaisselle du petit déjeuner. Il y avait bien une paire de gants sur le dessus de l'évier mais ils étaient secs et les mains de Mrs Hathall trempaient dans l'eau mousseuse.

Il remarqua qu'en guise de tablier elle avait noué une serviette autour de la taille. Il trouva cela curieux. Bien entendu, elle n'avait pas à apporter de tablier pour passer le week-end, mais une femme aussi soucieuse de son intérieur que l'était Angela devait bien en posséder plusieurs. Il évita cependant de faire une réflexion à ce sujet, se bornant à dire bonjour et à demander à Mrs Hathall de bien vouloir répondre à quelques questions.

Elle se rinça les mains et les essuya à un torchon.

— A quoi bon m'interroger ? J'ignore ce qu'elle faisait en l'absence de mon fils.

— J'ai cru comprendre que votre belle-fille était solitaire, renfermée.

Le bruit qu'elle émit en réponse tenait du grognement, du rire étouffé et du râle.

— Elle ne vous a pas donné cette impression ?

— Elle était éropathe.

— *Je vous demande pardon ?*

— Excitée, comme hystérique, lança-t-elle avec un regard de mépris.

— Ah ! fit Wexford, savourant cette déformation

du terme. Pourquoi était-elle... euh... névropathe ?

— Je l'ignore. Je ne l'ai vue qu'une fois.

— Mais elle était mariée à votre fils depuis trois ans...

Elle détourna le regard et entreprit d'essuyer la vaisselle, le dos tourné comme pour lui signifier que l'entretien était terminé. Elle essuya chaque tasse, chaque verre, chaque assiette en silence, récura l'égouttoir, puis accrocha le torchon avec tout le soin de quelqu'un effectuant un travail délicat. En fin de compte pourtant, elle fut bien obligée d'affronter le regard de Wexford, resté patiemment assis.

— J'ai les lits à faire, dit-elle.

— Votre belle-fille a été assassinée, Mrs Hathall.

— Je suis bien placée pour le savoir. C'est moi qui ai découvert le corps.

— Dans quelles circonstances ?

— Je l'ai déjà raconté en détail.

Ouvrant un placard, elle sortit un balai, un chiffon à poussière, objets inutiles dans cette maison impeccablement tenue.

— Et j'ai du travail, si ce n'est pas votre cas.

— Mrs Hathall, dit-il d'une voix douce, vous rendez-vous compte que vous allez devoir comparaître à l'enquête ? Vous êtes un témoin d'une importance capitale. On vous posera des questions très précises et vous *ne pourrez* refuser d'y répondre. Vous n'avez jamais eu affaire à la justice, aussi ai-je le devoir de vous prévenir que des sanctions sévères sont prévues à l'encontre de ceux qui entravent le travail de la police.

Elle le dévisagea, à peine impressionnée.

— Je n'aurais pas dû venir. Je m'étais promis de ne jamais mettre les pieds ici et j'aurais dû m'y tenir.

— Pour quelle raison, alors, êtes-vous venue ?

— Parce que mon fils a insisté. Il voulait nous raccommoder. Je vais vous dire une chose. Si cette Angela était malade des nerfs, c'est qu'elle avait honte d'avoir brisé le ménage de mon fils, honte de l'avoir rendu malheureux, honte d'avoir ruiné l'existence de trois êtres. Voilà ce que je dirai à l'enquête.

— Je doute qu'on vous pose cette question. Pour l'instant, je vous demande une nouvelle fois de me raconter ce qui s'est passé hier soir.

Elle redressa la tête avec irritation.

— Je n'ai rien à cacher, c'est à lui que je pense. Pour ce qui est d'Angela, elle était censée venir nous chercher à la gare.

— Mais elle était morte, Mrs Hathall.

Ignorant la remarque, elle poursuivit :

— Nous sommes venus ici. Mon fils l'a cherchée partout, au rez-de-chaussée, dans le jardin, au garage.

— Et à l'étage ?

— Non. Il m'a demandé d'y monter pour déballer mes affaires. Je suis ensuite entrée dans la chambre d'Angela et je l'ai trouvée sur le lit... Vous êtes satisfait ? Interrogez Robert et vous verrez si sa version des faits diffère de la mienne.

Wexford revint dans la pièce où il avait laissé Robert Hathall. Ce dernier devait le croire parti car il semblait remis de son chagrin. Debout près de la fenêtre, il examinait la première page d'un journal du matin. Son visage exprimait une concentration extrême. Ses mains ne tremblaient pas. Wexford toussota. Hathall se retourna et l'angoisse qui convulsait ses traits une demi-heure auparavant réapparut sur son visage.

— Je ne vais pas vous ennuyer davantage, Mr Hathall. Réflexion faite, je crois préférable que nous poursuivions notre conversation dans un cadre différent. Accepteriez-vous de vous rendre au commissariat vers les 3 heures ?

Robert acquiesça d'un air soulagé.

— Oui. Je suis désolé d'avoir perdu mon sang-froid tout à l'heure.

— C'est bien naturel. A propos, avant de venir, auriez-vous l'obligeance de jeter un coup d'œil sur les effets de votre femme pour voir si rien n'y manque ?

— Bien sûr. Vos hommes ne vont pas fouiller à nouveau la maison ?

— Non. C'est terminé.

Dès son arrivée au commissariat, l'inspecteur principal s'empressa de consulter les journaux et trouva le *Daily Telegraph* que lisait Hathall. Tout en bas de la première page, un entrefilet de dernière heure accrocha son regard : *Mrs Angela Hathall, trente-deux ans, a été découverte étranglée dans sa villa de Wood Lane, Kingsmarkham, Sussex. Pour la police, le meurtre ne fait aucun doute.*

C'était donc cet entrefilet que fixait Hathall avec tant d'intensité. Wexford médita un moment.

— Si ma femme avait été assassinée, dit-il, la dernière chose que je ferais, c'est bien d'en lire le compte rendu dans les journaux. Au fait, Burden, avons-nous des nouvelles du service de dactyloscopie ? Hathall ne jure que par les empreintes. Pour lui, nous sommes des chiens policiers. Il suffit qu'on nous montre une empreinte digitale ou une marque de pied, et aussitôt, le nez au sol, nous suivons la piste jusqu'à ce que nous tombions sur notre proie.

Burden posa une masse de papiers devant son supérieur.

— Tout est là, dit-il. J'y ai jeté un coup d'œil. Il y a des choses intéressantes, mais quel que soit l'assassin, il doit être loin, très loin.

— Aucune trace de la voiture ?

— On la retrouvera à Glasgow ou ailleurs dans le courant de la semaine prochaine. Martin s'est rendu à la *Marcus Flower*, la firme qui emploie Hathall. Il a bavardé avec la secrétaire, une certaine Linda Kipling. Elle assure qu'il ne s'est pas absenté de la journée. Ils sont tous deux arrivés à 10 heures — comme je serais heureux à leur place ! — et sauf une interruption d'une heure et demie pour le déjeuner, Hathall a travaillé jusqu'à 17 h 30.

— Doucement ! Ce n'est pas parce que j'ai dit qu'il avait lu l'annonce de la mort de sa femme dans le journal que je le tiens pour coupable !... Asseyez-vous, Mike, et résumez-moi le contenu de ce tas de papiers. J'y jetterai un coup d'œil plus tard.

Burden s'installa et mit ses élégantes lunettes à fine monture noire. Avec sa collection de complets bien coupés, ses cheveux blonds toujours bien coiffés et sa silhouette mince, il n'avait pas l'air d'un inspecteur de police, ce qui était un avantage. Il s'exprimait d'une voix un peu apprêtée mais nette.

— Ce qui frappe avant tout, commença-t-il, c'est qu'il n'y avait pas dans la maison autant d'empreintes qu'on pouvait s'attendre à en trouver. La victime avait dû tout nettoyer à fond, car les empreintes de Hathall étaient rares. On en a découvert une, bien nette, à la porte d'entrée, et quelques-unes sur la rampe de l'escalier et sur d'autres portes, mais elles ont de toute évidence été faites après son arrivée hier. On a relevé les traces de doigts de Mrs Hathall sur l'égouttoir, la rampe, la chambre du fond, les robinets de la salle de bains, la chasse d'eau, le téléphone et, aussi curieux que cela paraisse, sur le cadre du tableau accroché sur le palier.

— Pas si curieux ! Cette femme est une maniaque. Si le tableau avait été poussiéreux, elle aurait écrit sur

25

la poussière le mot *souillon* ou quelque chose dans le genre.

— On a relevé les empreintes d'Angela sur la porte de derrière, sur celle menant de la cuisine au vestibule, sur la porte de la chambre à coucher, sur différents pots et flacons encombrant la coiffeuse mais nulle part ailleurs. Elle devait porter des gants pour faire le ménage et si elle les ôtait dans la salle de bains, elle devait ensuite essuyer partout.

— Pour moi, cela relève de l'idée fixe, mais je présume que de nombreuses femmes se comportent de la sorte.

Burden, dont l'expression montrait qu'il appréciait ce genre de femme, reprit :

— Les seules autres empreintes sont celles de deux inconnus : un homme et une femme. Celles de l'homme ont été repérées sur les livres et la face interne d'une porte d'armoire, dans la chambre d'amis. Quant à la femme, on n'a trouvé qu'une seule empreinte sur le rebord de la baignoire, mais elle est de taille : toute la main droite, très nette, révélant sur l'index une petite cicatrice en forme de L.

— Hum ! hum ! Sont-elles déjà fichées ?

— Je ne le sais pas encore. Donnez-leur le temps de vérifier.

— C'est juste. Rien d'autre ?

— Si. Quelques cheveux noirs, longs et épais, trois exactement, sur le carrelage de la salle de bains. Ils n'appartiennent pas à Angela. Les siens sont plus fins. On en a trouvé dans sa brosse sur la coiffeuse.

— Ces trois cheveux sont ceux d'un homme ou d'une femme ?

— Allez savoir ! De nos jours, certains types les portent si longs ! (Burden passa la main sur ses cheveux plaqués, ôta ses lunettes et ajouta :) Nous n'apprendrons rien de l'autopsie avant ce soir.

— O.K. ! Il nous faut retrouver la voiture et dénicher quelqu'un qui aurait vu Angela sortir hier, ou mieux encore quelqu'un qui l'aurait vue rentrer avec l'inconnu, si du moins les choses se sont passées ainsi. Il nous faut aussi retrouver ses amis. *Elle a bien dû en avoir*.

La conversation terminée, les deux policiers sortirent du bureau. Tandis que Burden s'arrêtait pour dire deux mots au sergent de garde, Wexford se dirigea vers les portes battantes donnant sur la cour. Une femme montait justement les marches du perron. En arrivant à sa hauteur, elle s'arrêta et le regarda droit dans les yeux.

La cinquantaine, elle faisait partie de ces êtres rares que le temps ne dessèche pas et dont il ne diminue pas la vitalité. Chaque ride de son visage semblait dénoter un esprit enjoué. Elle n'en avait d'ailleurs que très peu autour de ses grands yeux étonnamment jeunes.

— Bonjour. Je m'appelle Nancy Lake, dit-elle en lui adressant un sourire enjôleur. Je désirerais voir un policier, quelqu'un de très important. L'êtes-vous ?

— Je pense pouvoir vous être utile.

Elle le regarda comme jamais une femme ne l'avait fait depuis vingt ans.

— Je crois être la dernière personne à avoir vu Angela Hathall vivante.

IV

Devant une jolie femme qui prend de l'âge, la première réaction est de se dire : *Comme elle devait être ravissante autrefois !* Ce n'était guère le cas avec Nancy Lake. Dans la plénitude de la maturité, elle avait une telle présence qu'en sa compagnie, on ne pensait ni à sa jeunesse ni à la vieillesse qui la guettait. Evoque-t-on le printemps ou les rigueurs de l'hiver quand on jouit d'une magnifique arrière-saison ?

En la faisant entrer dans son bureau, Wexford se sentit heureux. Enfin un élément agréable dans cette sombre affaire de meurtre !

— Quelle jolie pièce ! remarqua-t-elle d'une voix au timbre grave. Je croyais les postes de police lugubres, avec des photographies de gangsters sur les murs.

Elle jeta un regard approbateur à la moquette, les sièges jaunes, le bureau en palissandre.

— C'est charmant, reprit-elle. Puis-je m'asseoir ?

Wexford lui avançait déjà un siège. Elle avait une abondante chevelure brun-roux, probablement teinte, une peau à la texture de pêche et translucide comme l'est parfois celle des enfants et des jeunes filles. Ses lèvres rouges semblaient prêtes à s'entrouvrir pour un sourire. Elle portait une robe en coton imprimé, mauve et bleu, bien ajustée à la taille. Son décolleté révélait une gorge pleine et dorée. Elle s'aperçut que Wexford la détaillait et parut apprécier cet examen.

— Vous demeurez dans la maison de Kingsmarkham à l'extérieur de Wood Lane, je crois ?

— Elle a été baptisée Sunny Bank. J'ai toujours pensé que ce nom aurait mieux convenu à un hôpital psychiatrique mais c'est mon défunt mari qui l'a choisi et il devait avoir ses raisons.

Wexford dut faire un effort pour garder son sérieux.

— Vous étiez une amie de Mrs Hathall ?

— Oh non ! J'allais seulement chez elle pour les *merveilles*.

— *Les quoi ?*

— Excusez-moi. C'est un jeu de mots comme en font les gosses. Je voulais dire les mirabelles.

— Et vous vous y êtes rendue pour en cueillir ?

— Je le fais depuis des années. J'y allais déjà du temps du vieux Somerset puis, quand les Hathall se sont installés, ils m'ont autorisée à continuer de les cueillir. J'en fais des confitures.

— A quelle heure étiez-vous là-bas ?

— J'ai téléphoné à Angela vers 9 heures pour lui demander quand je pouvais passer, car j'avais remarqué que les fruits commençaient à tomber. Elle m'avait dit de venir vers midi et demi. J'ai cueilli les mirabelles, puis elle m'a offert une tasse de café. Je crois qu'elle m'a fait entrer uniquement pour me montrer à quel point son intérieur était joli et propre.

— Pourquoi ? Ce n'était pas toujours le cas ?

— Mon Dieu, non ! Je ne suis pas très portée moi-même sur les travaux ménagers, mais sa maison ressemblait plutôt à une porcherie, d'habitude. C'est l'impression qu'elle m'avait faite en tout cas, au mois de mars, la dernière fois que j'y étais allée. Angela m'a dit hier qu'elle avait tout nettoyé à fond pour impressionner la mère de Robert.

Wexford inclina la tête. Il devait faire un effort de volonté pour continuer à lui poser des questions sur un ton impersonnel, car il était sous le charme, un mélange magique de gentillesse et de sensualité.

— Ne vous aurait-elle pas raconté qu'elle attendait une autre visite ?

— Non, elle m'a dit par contre devoir partir, mais sans préciser où.

Nancy Lake se pencha au-dessus du bureau, l'air grave.

— Dès que j'ai eu fini ma tasse de café, elle s'est comportée comme si elle voulait se débarrasser de moi. C'est pourquoi je vous ai dit qu'elle m'avait fait entrer uniquement pour me montrer ses nettoyages.

— A quelle heure l'avez-vous quittée ?

— Voyons... Ça devait être un peu avant 13 h 30. Je ne suis restée que dix minutes à l'intérieur même de la maison. J'avais passé le reste du temps à cueillir les fruits.

Wexford fit pivoter son siège avec une désinvolture calculée, n'offrant à Nancy qu'un profil sévère.

— Et vous ne l'avez pas vue quitter Bury Cottage ni y retourner plus tard ?

— Non, je suis allée directement à Myringham où j'ai passé l'après-midi et une partie de la soirée.

Pour la première fois, il crut déceler une certaine réticence dans sa réponse mais il n'en laissa rien paraître.

— Parlez-moi d'Angela Hathall. Quel genre de femme était-elle ?

— Brusque, rude, peu gracieuse... C'est peut-être pour cette raison que Robert et elle s'entendaient si bien.

— Ils formaient un couple heureux ?

— Très heureux. Ils n'avaient d'yeux que l'un pour l'autre, comme on dit. Je ne leur connaissais pas d'amis.

— On m'a laissé entendre qu'elle était timide et craintive.

— Oh non ! J'ai idée qu'elle vivait seule parce que ça leur plaisait. Certes, ils avaient connu la gêne jusqu'à ce qu'il trouve son nouvel emploi et c'est peut-être pourquoi ils ne voyaient personne. Elle m'avait raconté, un jour, qu'il ne leur restait que quinze livres par semaine pour vivre après tout ce qu'il devait débourser. Il payait une pension à sa première femme, je crois. Les gens font parfois un beau gâchis de leur vie, n'est-ce pas ?

Il y avait une note de tristesse dans sa voix, comme si elle parlait d'expérience. Il pivota de nouveau car une pensée venait de lui traverser l'esprit.

— Puis-je voir votre main droite, madame ?

Elle la lui tendit sans poser de question mais en la plaçant dans la sienne, paume contre paume, geste d'amoureux. Wexford en sentit la chaleur, vit combien elle était douce et soignée, remarqua le brillant des ongles et admira la bague de diamant qui ornait le médius. Troublé malgré lui, l'inspecteur retint cette main une seconde de trop.

— Si quelqu'un m'avait dit que je serais ce matin main dans la main avec un policier, je l'aurais traité de menteur !

— Je vous demande pardon, fit-il avec raideur en la libérant.

Aucune cicatrice en forme de L ne marquait l'extrémité de l'index.

— C'est ainsi que vous prenez les empreintes digitales ? Bonté divine, j'ai toujours cru qu'il s'agissait d'une opération bien plus compliquée !

— Elle l'est, en effet, répliqua-t-il sans fournir d'explications. Angela Hathall avait-elle quelqu'un pour l'aider dans le ménage ?

— A ma connaissance, ils n'en avaient pas les moyens.

Elle faisait un effort visible pour dissimuler le plaisir que lui procurait la déconvenue de l'inspecteur.

— Puis-je vous être encore utile, Mr Wexford ? Vous n'avez pas l'intention de prendre un moulage de mes chaussures ou de me faire une prise de sang ?

— Non, ce ne sera pas nécessaire. Mais j'aurai peut-être besoin d'avoir un nouvel entretien avec vous.

— Je l'espère bien.

Elle se leva avec grâce et fit quelques pas en direction de la fenêtre, se plaçant de telle sorte que Wexford, obligé de se lever en même temps, la toucha presque. Il ne fut pas dupe de la manœuvre mais il se sentit flatté. Depuis combien d'années une femme n'avait-elle pas flirté avec lui ? A l'exception de Dora, bien sûr...

Nancy Lake lui prit doucement le bras et attira son attention sur le soleil qui brillait dehors ainsi que sur la file de voitures se dirigeant vers la côte.

— Le temps idéal pour aller passer une journée à la mer, n'est-ce pas ? dit-elle.

La remarque, faite sur un ton de regret, sonnait comme une invite.

— Quel dommage que vous soyez obligé de travailler un samedi ! D'autant que l'hiver sera bientôt là.

Il sursauta. Avait-elle donné volontairement à cette phrase un double sens, laissant entendre qu'ils arrivaient tous deux à l'hiver de leur vie ?

— Je ne veux pas vous retenir plus longtemps, fit-il d'une voix glaciale.

Elle rit, ôta sa main et se dirigea vers la porte.

— Vous pourriez au moins me dire que c'est gentil de ma part d'être venue, lança-t-elle.

— C'est exact. Vous avez fait preuve d'esprit civique. Au revoir, Mrs Lake.

— Au revoir, Mr Wexford. Vous devriez venir prendre le thé chez moi. Je vous offrirais de la confiture de *merveilles*.

Il la fit raccompagner mais, au lieu de se rasseoir derrière son bureau, il alla se poster derrière la fenêtre. Il la vit traverser la cour avec l'assurance de la jeunesse, comme si le monde lui appartenait. Pas un instant, il n'eut l'idée qu'elle pût se retourner. Et pourtant, elle le fit, comme si leurs pensées se rejoignaient. Elle leva le bras et l'agita d'un geste chaleureux, intime. Il fit de même et dès qu'elle eut disparu dans la foule, il sortit déjeuner.

Le *Carousel*, en face du commissariat, était toujours bondé le samedi à l'heure du déjeuner. Burden était assis à une table d'angle qui leur était réservée et quand Wexford s'y installa, le propriétaire du restaurant, un Italien, s'avança vers lui avec déférence.

— Je vous recommande mon plat du jour, monsieur l'inspecteur principal : foie et bacon.

— Parfait, Antonio.

— Martin s'est installé dans la salle paroissiale, dit Burden. Il interroge les gens dans l'espoir que quelqu'un ait vu Angela vendredi après-midi ou l'homme qui lui a rendu visite, si elle n'est pas sortie.

— *Elle est sortie.* Elle a dit à Mrs Lake qu'elle prenait sa voiture. Je me demande qui est cette femme à la cicatrice en forme de L ? Ce n'est pas Mrs Lake, et celle-ci affirme qu'Angela n'avait ni femme de ménage, ni amies.

— Et qui est l'homme dont on a trouvé les empreintes sur la face interne de la porte de l'armoire ?

L'arrivée des plats interrompit leur conversation pendant quelques minutes.

— Mike, dit Wexford, à ce stade de l'enquête, nous nous demandons d'habitude si nous n'avons pas relevé quelque chose d'insolite, des contradictions ou des mensonges. Qu'avez-vous remarqué ?

— Rien, si ce n'est l'absence d'empreintes.

— Angela avait nettoyé la maison à fond pour impressionner sa belle-mère. Cependant, ça m'étonnerait qu'elle ait recommencé avant de partir. Mrs Lake avait pris le café chez elle à 13 heures environ, mais on n'a pas trouvé une seule de ses empreintes. Et puis, il y a autre chose : la façon dont Hathall s'est conduit en rentrant chez lui.

Burden repoussa son assiette vide, consulta le menu, renonça à prendre un dessert et fit signe à Antonio d'apporter les cafés.

— Eh bien, quoi ?

— Hathall et sa femme étaient mariés depuis trois ans et pendant tout ce temps, sa belle-mère n'a vu Angela qu'une seule fois. Il est clair que les deux femmes étaient à couteaux tirés, Mrs Hathall reprochait à sa bru d'avoir brisé le premier mariage de son fils. C'est du moins la raison apparente de leur brouille. Quoi qu'il en soit, une espèce de *rapprochement* s'opère, la belle-mère accepte de venir pour le week-end et la bru se met en quatre pour la recevoir, au point d'astiquer sa maison bien plus que de coutume. En outre, elle devait les attendre à la gare mais elle n'y était pas. Robert Hathall la dit timide et craintive, Mrs Lake, brusque et peu gracieuse. Connaissant son épouse, quelle conclusion, selon vous, Robert aurait dû tirer de son absence à la gare ?

— Qu'elle appréhendait de se trouver en face de sa belle-mère.

— Exactement. Mais que fait-il à son arrivée à Bury Cottage ? Ne trouvant pas Angela, il la cherche au *rez-de-chaussée* et dans le jardin. Il ne monte pas à l'étage. Or, il aurait dû logiquement penser qu'une femme inquiète se réfugie non pas dans le jardin mais dans sa chambre à coucher. Il aurait dû monter la rassurer, puis descendre avec elle. Au lieu de quoi, il envoie sa mère, la personne qu'Angela était censée redouter, tandis que lui-même file au garage. Bizarre, non ?

Burden acquiesça.

— Buvez votre café, dit-il. Hathall doit venir à

3 heures, n'est-ce pas ? Eh bien ! Il vous donnera peut-être une explication.

V

Wexford faisait semblant d'étudier la liste des objets manquants — un bracelet, deux bagues et une chaîne de cou dorée — que Robert Hathall lui avait apportée, mais en réalité, c'est l'homme qu'il observait. Entré la tête basse dans le bureau, il était maintenant assis, silencieux, les mains sur les genoux. En dépit de son chagrin, Hathall avait l'air en colère. Ses traits durs paraissaient avoir été taillés dans du granit rose, ses grandes mains étaient rouges et même ses yeux avaient un reflet écarlate. Il n'était pas séduisant et pourtant, il avait été marié deux fois. Etait-ce que certaines femmes, inquiètes ou mal équilibrées, voyaient en lui un roc auquel se cramponner ? Il se pouvait que son teint fût une marque de passion, de force aussi bien que de mauvais caractère. L'inspecteur principal posa la liste sur le bureau et leva les yeux :

— Selon vous, que s'est-il passé hier après-midi, Mr Hathall ?

— C'est à moi que vous demandez ça ?

— Je présume que vous connaissiez votre femme mieux que quiconque. Vous devriez savoir qui était susceptible de lui rendre visite ou qui elle pouvait passer prendre à domicile.

Hathall fronça les sourcils et son visage s'assombrit.

— J'ai déjà expliqué qu'un cambrioleur est entré dans la maison. Il a pris les choses qui figurent sur la liste, ma femme l'a surpris et il... il l'a tuée. Ça ne peut être que ça... C'est évident !

— Je ne le pense pas. Je crois que la personne qui est entrée chez vous a effacé un nombre considérable d'empreintes digitales. Un voleur n'aurait pas eu à le faire, car il aurait eu des gants. Il aurait assommé votre femme, mais il ne l'aurait pas étranglée. En outre, je vois que vous évaluez les objets manquants à une cinquantaine de livres. Je reconnais que des gens ont été tués pour une somme moindre, mais je doute qu'une femme ait jamais été étranglée pour une telle raison.

Hathall baissa de nouveau la tête et murmura :

— Quelle autre explication y aurait-il ?

— Dites-moi qui venait chez vous. Quels amis ou connaissances rendaient visite à votre femme ?

— Nous n'avions pas d'amis. Lorsque nous sommes arrivés ici, nous étions sur la paille. Nous n'avions pas de quoi nous inscrire à un club, ni recevoir du monde à dîner, ni même leur offrir l'apéritif. Souvent, Angela ne voyait pas âme qui vive du dimanche soir au vendredi soir. Quant aux amis que j'avais avant de l'épouser, eh bien ! ma première femme s'est arrangée pour que je les perde. (Il secoua la tête de la même manière que sa mère.) Je crois que je ferais mieux de vous raconter par quoi nous sommes passés, Angela et moi, et vous comprendrez peut-être que cette histoire de visite d'amis est absurde.

— Allez-y, je vous écoute.

— L'histoire de ma vie ! fit Hathall avec un rire dénué de gaieté. J'ai commencé comme garçon de bureau dans une firme d'experts-comptables, *Craig & Butler*, de Gray's Inn Road. Plus tard, lorsque je suis devenu employé aux écritures, l'associé principal me persuada d'entamer des études et de passer les examens de comptable. Dans l'intervalle, je m'étais marié et j'avais acheté une maison à crédit... Jusqu'à récemment, je ne me rappelle pas avoir connu une période de ma vie où j'aie disposé d'assez d'argent pour vivre décemment. Et maintenant que j'en ai, il ne me sert plus à grand chose. Mon premier mariage ne fut guère heureux. Ma mère pense le contraire, mais qu'en sait-elle ? J'ai vite compris que j'avais fait une bêtise. Mais nous avions eu une fille, de sorte que je me serais accommodé de la situation si je n'avais rencontré Angela à une réunion de bureau. J'ai demandé à ma femme de m'accorder le divorce. Eileen me fit des scènes épouvantables. Je ne vous raconterai pas quel enfer fut ma vie à cette époque.

— C'était il y a cinq ans ?

— A peu près, oui. Finalement, je me suis installé chez Angela. Elle avait une chambre à Earls Court et travaillait à la bibliothèque de l'Association des archéologues. Eileen entreprit une campagne de persécution contre nous. Elle me fit des scènes au bureau et me relança même à Earls Court. Je la suppliai d'accepter de divorcer. Angela avait alors un bon emploi et de mon côté, je me débrouillais bien. J'étais prêt à me plier à toutes les exigences de ma femme. Mais quand elle finit par donner son accord, je n'avais plus de travail : Butler m'avait signifié mon congé du jour au lendemain à cause des scènes qu'Eileen me faisait. Pour couronner le tout, Angela dut quitter sa bibliothèque et fut à deux doigts de la dépression nerveuse... Je trouvai un emploi à temps partiel comme comptable dans une fabrique de jouets, *Kidd* de Toxborough et nous prîmes une chambre dans le coin. Nous n'avions plus un sou. Le juge attribua la maison à Eileen, lui confia la garde de l'enfant et me condamna à lui payer une pension alimentaire sur mes revenus déjà insuffisants. C'est alors que nous eûmes un coup de chance. Angela avait un cousin ici, un certain Mark Somerset, qui nous permit d'emménager à Bury Cottage. La maison avait appartenu à son père. Bien entendu, il ne poussa pas la générosité jusqu'à ne pas nous faire payer de loyer malgré ses liens de parenté avec Angela. J'ajouterai qu'il n'a rien fait d'autre pour nous. Il n'est même pas venu voir Angela et pourtant il devait savoir combien elle était seule... Les choses continuèrent ainsi pendant près de trois ans. Nous vivions avec quinze livres par semaine, une misère. Je continuais à payer les traites d'une maison dans laquelle je n'avais pas mis les pieds depuis quatre ans. Ma mère et ma première femme avaient monté ma fille contre moi. A quoi sert qu'un juge vous permette de voir votre enfant si celle-ci refuse de vous voir ? Vous vouliez connaître ma vie privée ? Eh bien, c'est fait ! Rien que des tracas et des persécutions. Angela était mon seul rayon de soleil. Et maintenant... elle est morte.

Wexford fit la moue. Il se méfiait de ces gens qui se sentent persécutés.

— Ce Somerset... il n'est jamais venu à Bury Cottage ?

— Il nous a fait visiter quand il nous a permis de nous installer. Depuis, nous ne l'avons revu qu'une fois, par hasard, dans la rue à Myringham. A croire qu'il s'était pris d'une aversion déraisonnable pour Angela.

Tant de gens n'aimaient pas cette femme ou lui en voulaient. *Elle devait être aussi prédisposée à la paranoïa que l'est son mari.*

— Vous avez parlé d'une aversion *déraisonnable*, Mr Hathall. Celle qu'éprouvait votre mère, était, elle aussi, *déraisonnable* ?

— Ma mère ne jure que par Eileen. C'est une femme très stricte sur les principes. Elle reprochait à

Angela de m'avoir éloigné d'Eileen. C'est absurde de penser qu'une femme puisse voler le mari d'une autre si le mari ne veut pas... être volé.

— Votre mère et Angela ne se sont rencontrées qu'une seule fois, je crois. La rencontre s'est-elle bien passée ?

— J'avais persuadé ma mère de venir à Earls Court pour que je lui présente Angela. J'aurais dû me méfier, mais je pensais qu'elle cesserait de la prendre pour une femme fatale, quand elle la connaîtrait mieux. Malheureusement, ma mère trouva à redire à la tenue d'Angela — elle portait ces jeans et cette chemise rouge qu'elle avait hier — et quand celle-ci fit une remarque désobligeante sur Eileen, ma mère quitta la maison sur-le-champ.

Le visage de Hathall était devenu encore plus rouge au rappel de cet événement.

— Ainsi les deux femmes ne s'étaient pas vues depuis votre remariage ?

— Ma mère refusait de nous recevoir. Elle ne voyait que moi. J'aurais préféré ne plus la voir, mais je me sentais un devoir envers elle.

Wexford écoutait ces affirmations de vertu morale avec un certain scepticisme et il ne put s'empêcher de se demander si Mrs Hathall, qui approchait les soixante-dix ans, n'avait pas quelques économies.

— Qu'est-ce qui vous a donné l'idée de cette réunion que vous aviez projetée pour le week-end ?

— Lorsque j'ai décroché cette place chez *Marcus Flower*, pour un salaire double de celui que j'avais chez *Kidd*, j'ai décidé de coucher en semaine chez ma mère. Elle demeure pas très loin de Victoria. Angela et moi cherchions un appartement à Londres, de sorte que cette situation ne devait pas s'éterniser. Depuis juillet je passais la nuit chez ma mère du lundi au vendredi. J'en ai profité pour lui parler d'Angela et lui dire combien j'aurais aimé les voir en bons termes toutes deux. Il m'a fallu huit semaines de persuasion avant qu'elle accepte de venir pour le week-end à Bury Cottage. Ce projet avait rendu Angela très nerveuse. Pleine d'appréhension, elle avait astiqué la maison de la cave au grenier pour que ma mère ne trouve rien à redire. Je ne saurai hélas jamais comment les choses se seraient passées.

— Et ne trouvant pas votre femme à la gare hier, comme convenu, quelle a été votre réaction ? Inquiétude ? Contrariété ? Ou simple désappointement ?

— De la contrariété, non, répondit-il après quelque hésitation. Je me suis dit que le week-end commençait mal, mais qu'Angela avait dû se sentir trop nerveuse pour venir.

— Et en arrivant au cottage, qu'avez-vous fait ?

— Je ne vois pas où mènent ces questions, mais je suppose que vous avez votre idée. J'ai appelé Angela. Je l'ai cherchée dans la salle à manger, la cuisine et le jardin. J'ai dit ensuite à ma mère de défaire sa valise pendant que j'irais voir au garage si la voiture y était.

— Vous aviez pensé que, votre femme étant en voiture et vous à pied, vous aviez pu vous manquer, c'est ça ?

— Je ne sais pas ce que j'ai pensé sur l'instant. Je l'ai simplement cherchée partout.

— Sauf à l'étage, Mr Hathall ? remarqua Wexford d'une voix douce.

— J'y serais monté après.

— N'aurait-il pas été logique de vous dire qu'une femme aussi nerveuse que l'était votre épouse, et redoutant de surcroît de se trouver en présence de sa belle-mère, se serait réfugiée dans sa chambre à coucher ? Et pourtant, au lieu de vous y précipiter, vous avez préféré y envoyer votre mère.

Hathall aurait pu le prendre de haut et demander à

Wexford où il voulait en venir. Mais il répondit d'une voix hésitante :

— On ne peut pas toujours expliquer ses faits et gestes.

— Je ne suis pas d'accord avec vous. Nous pouvons le faire à condition de considérer honnêtement nos motivations.

— Ma foi, j'ai dû penser sans doute, que si Angela n'avait pas répondu, c'est qu'elle n'était pas dans la maison. Oui, j'ai supposé qu'elle était sortie avec la voiture et que nous nous étions manqués parce qu'elle avait emprunté un autre itinéraire.

Cet autre itinéraire aurait consisté à descendre Wood Lane sur plus de quinze cents mètres jusqu'au croisement avec la route de Myringham, suivre cette route jusqu'à Pomfret ou Stowerton, et revenir en arrière à la gare de Kingsmarkham, bref, parcourir un trajet de huit kilomètres au moins au lieu de huit cents mètres. Cependant, Wexford ne fit aucun commentaire, un autre trait du comportement de Robert l'ayant brusquement frappé. Il devait y réfléchir pour tenter de déterminer si ce trait était significatif ou s'il résultait simplement d'une bizarrerie de son caractère.

— Puis-je vous demander quelque chose à mon tour ? dit Hathall en se levant.

— Je vous en prie.

L'homme parut hésiter un instant entre poser une question brûlante ou la camoufler sous une autre plus anodine.

— Avez-vous reçu le rapport du médecin légiste ?

— Pas encore, Mr Hathall.

— Et les empreintes ? Fournissent-elles quelque indication ?

— Très peu de chose à vrai dire.

— L'enquête me semble progresser bien lentement, mais je ne suis pas orfèvre en la matière. Vous me tiendrez informé, n'est-ce pas ?

Il avait parlé sur le ton autoritaire d'un chef d'entreprise s'adressant à un jeune cadre.

— Dès qu'une arrestation aura été opérée, nous vous tiendrons au courant, dit l'inspecteur.

— Très bien. J'aimerais connaître... j'aimerais connaître les conclusions du médecin légiste.

Hathall quitta le bureau en baissant la tête. Son chagrin semblait réel, mais Wexford n'ignorait pas qu'il est plus facile de simuler la douleur que la joie.

Et puis, pourquoi n'avait-il pas montré qu'il avait ressenti un choc ? Pourquoi n'avait-il pas laissé paraître cette stupeur incrédule de ceux dont la femme, le mari ou l'enfant ont péri de mort violente ? Wexford se rappela que, dans des cas analogues, des maris l'avaient interrompu en criant que ce n'était pas vrai, des veuves s'étaient exclamées qu'elles vivaient un cauchemar et qu'elles allaient bientôt se réveiller. L'incrédulité retarde le chagrin. Il faut parfois plusieurs jours pour réaliser le malheur qui vous a frappé et encore plus pour s'y résigner. Hathall s'en était rendu compte et s'y était résigné tout de suite. Wexford se demanda même s'il ne s'y était pas déjà résigné avant d'arriver chez lui. L'air songeur, il alla s'asseoir derrière son bureau en attendant le résultat de l'autopsie.

— Ainsi donc, elle a été étranglée avec un collier doré, énonça Burden. Il devait être solide.

— Ce pourrait bien être celui qui figure sur la liste du mari, remarqua Wexford en levant les yeux du rapport. On a trouvé des fragments de dorure incrustés dans la peau, mais pas de lambeaux de chair sous les ongles de la victime, ce qui tendrait à prouver qu'il n'y a pas eu lutte. Elle a été assassinée entre

13 h 30 et 15 h 30. Elle était apparemment bien portante, et n'a pas subi de violences.

Wexford fit ensuite à l'inspecteur Burden un résumé de l'entretien qu'il avait eu avec Robert Hathall puis ajouta :

— L'affaire commence à prendre un tour particulier.

— Autrement dit, vous vous êtes mis dans la tête que le mari était au courant et se sentait coupable.

— Oui, et pourtant il ne l'a pas tuée. A l'heure du crime il travaillait chez *Marcus Flower* avec Linda Kipling et Dieu sait combien d'autres personnes encore. Il paraissait aimer Angela et de plus, je ne vois pas quel motif il aurait eu de la supprimer. Mais pourquoi n'est-il pas monté dans sa chambre à coucher hier ? Pourquoi n'a-t-il pas été secoué par le choc et pourquoi est-il tellement obsédé par les empreintes digitales ?

Le meurtrier se sera attardé après le crime pour effacer les traces. Il avait dû auparavant toucher des objets dans la chambre et les autres pièces, puis oublier *ce qu'il avait touché*. Pour plus de sécurité, il aura tout nettoyé à fond, sans quoi nous aurions relevé les empreintes d'Angela et de Mrs Lake dans le salon. Si cette explication est la bonne, cela plaiderait en faveur de la non-préméditation.

— Probablement. Je ne crois pas qu'Angela ait eu peur de sa belle-mère au point d'astiquer le salon une seconde fois après le départ de Mrs Lake.

— Ce serait drôle que l'assassin se soit donné tout ce mal pour laisser ensuite des empreintes sur l'intérieure d'une porte d'armoire dans une chambre d'amis, une armoire qui, apparemment, ne servait jamais.

— J'ai l'impression, dit Wexford, que nous allons découvrir que ces empreintes appartiennent à Mark

Somerset, le propriétaire de Bury Cottage. Une visite chez ce monsieur s'impose.

VI

Située à vingt-cinq kilomètres environ de Kingsmarkham, Myringham se glorifie de posséder un musée, un château classé et les ruines d'une ville romaine fort bien conservées. Entre les bâtiments de l'université ont poussé tours, centres commerciaux et parkings, mais la vieille ville, au bord de la rivière, est demeurée intacte. Là, venelles et ruelles tortueuses évoquent les peintures de Jacob Vrel. Les maisons y sont séculaires. Certaines d'entre elles en brique brune et bois vermoulu gris sombre furent construites avant la guerre des Deux-Roses et même, dit-on, avant la bataille d'Azincourt.

Mark Somerset habitait la partie la plus chic, dans une des demeures anciennes situées près de la rivière. Le XVe siècle s'y attardait encore avec ses maisons ramassées autour de l'église et du moulin.

Somerset n'avait rien de médiéval, lui. Quinquagénaire athlétique, il portait des jeans noirs et un tee-shirt. Seules les rides autour de ses yeux bleus et les veines de ses mains puissantes trahissaient son âge. Ses cheveux, autrefois dorés, tournaient maintenant à l'argenté.

— Ah ! les flics ! dit-il en souriant. Je me doutais que vous viendriez.

— Pensez-vous que c'était inutile, Mr Somerset ?

— Je ne sais pas. C'est à vous de décider. Entrez, mais faites le moins de bruit possible dans le couloir, voulez-vous ? Ma femme est sortie de l'hôpital ce matin et vient juste de s'assoupir.

— Rien de sérieux, j'espère ? s'enquit Burden.

Somerset esquissa un sourire triste et répondit en chuchotant :

— Elle est impotente depuis des années. Mais vous n'êtes pas venus pour parler de cela. Si nous entrions ?

La pièce avait un plafond à poutres apparentes et des murs lambrissés. Deux portes-fenêtres ouvraient sur un petit jardin qui descendait jusqu'aux arbres de la rive.

Sur une table basse placée près des portes, une bouteille de vin du Rhin était posée dans un seau à glace.

— Je suis professeur d'éducation physique à l'université, dit Somerset. Le samedi est le seul jour de la semaine où je m'accorde un verre. Voulez-vous un peu de vin ?

Les deux policiers acceptèrent. Somerset alla chercher trois verres. Le *Liebfraumilch* était parfumé et sec.

— C'est très aimable à vous, dit Wexford. Vous m'avez désarmé et j'hésite maintenant à vous demander de nous autoriser à prendre vos empreintes digitales.

— Vous pouvez le faire, répondit-il en riant. Je présume que vous avez trouvé les empreintes de quelque personnage mystérieux à Bury Cottage ? Ce sont probablement les miennes, bien que je n'y aie pas remis les pieds depuis trois ans. En tout cas, ce ne sont pas celles de mon père, car j'avais fait retapisser toute la maison après sa mort.

Il tendit une main forte et large.

— J'ai cru comprendre que vous ne vous entendiez pas avec votre cousine, dit Wexford.

— Ecoutez, au lieu de vous laisser m'interroger et me poser des tas de questions qui nous feront perdre du temps, ne serait-il pas préférable que je vous raconte ce que je sais sur Angela et que je vous fasse, si je puis dire, l'histoire de nos relations ?

— C'est exactement ce que nous souhaitons.

— Bon. Vous ne voudriez pas que j'aie des scrupules à dire du mal de la morte, n'est-ce pas ? attaqua Somerset sur le ton tranchant d'un professeur. Non que j'aie beaucoup de mal à dire d'Angela. J'étais navré pour elle. Je l'avais rencontrée voilà cinq ans environ. Elle arrivait d'Australie et je ne l'avais jamais vue auparavant. Elle était cependant ma cousine, la fille du frère de mon père. Et n'allez pas vous mettre en tête qu'elle aurait pu être un imposteur !

— Vous avez lu trop de romans policiers, Mr Somerset.

— Peut-être... Elle était venue me voir parce que mon père et moi étions ses seuls parents dans ce pays. Elle se sentait si seule à Londres, prétendait-elle. Je crois qu'elle était à l'affût de quelque argent à prendre, cupide comme elle l'était, cette pauvre Angela ! Elle n'avait pas encore rencontré Robert. Dès qu'elle fit sa connaissance, elle cessa de venir. Elle recommença à me donner des nouvelles un peu avant leur mariage. Entre parenthèses, je lui avais écrit dans l'intervalle pour lui annoncer la mort de mon père, mais elle ne m'avait pas répondu. Robert et elle n'avaient nul endroit où habiter et elle me demandait si je voulais bien leur laisser Bury Cottage. J'avais cherché à vendre cette maison mais, n'en obtenant pas le prix demandé, j'y avais renoncé et je la leur ai louée pour cinq livres par semaine.

— Un loyer bien modique, s'étonna Wexford.

Somerset haussa les épaules et remplit de nouveau leurs verres sans demander leur avis.

— Ils se trouvaient sans ressources et Angela était ma cousine. Je n'arrive pas à me débarrasser de quelques idées démodées sur les liens du sang. Cela ne m'a pas ennuyé le moins du monde de leur louer le cottage, mais j'ai tiqué quand Angela m'a envoyé sa note d'électricité.

— Vous ne vous étiez pas mis d'accord à ce sujet ?

— Bien sûr que non. Je lui ai alors demandé de venir pour que nous en discutions. Elle est venue et m'a resservi leur pauvreté, ses nerfs et son adolescence malheureuse auprès d'une mère qui ne voulait pas qu'elle aille à l'université. Sur ce, je lui ai suggéré de prendre un travail. Bibliothécaire qualifiée, Angela aurait facilement trouvé un emploi à Kingsmarkham ou à Stowerton. Elle allégua sa dépression nerveuse alors qu'elle me paraissait en parfaite santé. Je crois plutôt qu'elle était paresseuse. Bref, elle quitta la maison en me taxant de mesquinerie. Je ne les ai plus revus, jusqu'à voici dix-huit mois, à travers les vitres d'un bon restaurant. J'en avais conclu que leur situation s'était bien améliorée... Nous nous sommes rencontrés une autre fois en avril dernier. Je suis tombé sur eux à Myringham. Ils étaient chargés de paquets mais paraissaient déprimés, bien que Robert eût déjà trouvé son nouvel emploi. Peut-être se sentaient-ils gênés en face de moi. Enfin, le mois dernier, Angela m'a écrit pour m'annoncer leur intention de quitter le cottage dès qu'ils trouveraient un logement à Londres...

— Formaient-ils un couple heureux ? s'enquit Burden.

— Très heureux, pour autant que je sache. Ils possédaient tant de choses en commun ! Peut-être vous donnerai-je l'impression d'être dur quand je vous dirai qu'ils avaient en commun leur paranoïa, la cupidité et l'idée que le monde leur devait quelque chose. Je regrette qu'Angela soit morte, je suis désolé d'apprendre qu'elle a fini de cette façon, mais je ne puis dire que je l'aimais. J'ai parfois pensé qu'Angela et Robert s'entendaient si bien parce qu'ils étaient dressés contre tout le monde.

— Vous nous avez été fort utile, Mr Somerset, dit Wexford, avec plus de politesse que de sincérité.

Certes, il leur avait raconté beaucoup de choses qu'ils ignoraient, mais leur avait-il révélé quoi que ce fût d'utile ?

— J'espère que vous n'allez pas prendre mal la question que je vais à présent vous poser, Mr Somerset. Que faisiez-vous hier après-midi ?

Wexford aurait juré que l'homme avait hésité. On eût dit qu'il avait déjà préparé sa réponse, mais devait s'armer de courage pour la donner.

— J'étais ici, seul. J'avais pris mon après-midi pour mettre un peu d'ordre dans la maison avant l'arrivée de ma femme. Je regrette de n'avoir vu personne qui soit en mesure de corroborer mes dires.

— Vous n'y pouvez rien. Tant pis. Auriez-vous une idée sur le genre d'amis que fréquentait votre cousine ?

— Aucune. A l'en croire, elle n'en avait pas. Tous les gens qu'elle avait connus, Robert excepté, s'étaient montrés cruels à son égard. Aussi, se faire des amis lui aurait paru relever du masochisme !

Somerset vida son verre.

— Encore un peu de vin ? proposa-t-il.

— Non, merci. Nous n'avons déjà que trop entamé votre ration du samedi soir.

— Je vous raccompagne jusqu'à la porte, dit Somerset avec un sourire franc.

Dans le vestibule, ils entendirent une voix plaintive provenant de l'étage :

— Marky, Marky...

Somerset eut une grimace, trouvant peut-être le diminutif déplaisant. Du pied de l'escalier, il cria qu'il arrivait puis il ouvrit la porte d'entrée. Les deux inspecteurs lui souhaitèrent rapidement bonsoir, car la voix s'était muée en un gémissement irrité.

Le lendemain matin, Wexford retourna à Bury Cottage, comme il l'avait promis. Des renseignements susceptibles d'intéresser Robert Hathall lui étaient parvenus, mais il n'avait guère l'intention de communiquer au veuf ce que celui-ci tenait le plus à savoir.

Mrs Hathall l'informa que son fils dormait. Elle le conduisit ensuite au salon en lui demandant d'attendre mais ne lui offrit ni thé ni café. Ils formaient une étrange paire, ces Hathall. A croire que leur tendance à s'isoler contaminait ceux qu'ils épousaient car lorsqu'il demanda à Mrs Hathall si la première femme de Robert était jamais venue au cottage, elle lui rétorqua :

— Eileen ne se serait pas abaissée à ça. Elle a sa fierté.

— Et votre petite-fille, Rosemary ?

— Elle est venue une fois et c'est suffisant. Elle est d'ailleurs trop occupée avec son travail de classe pour perdre ainsi son temps.

— Voulez-vous me donner l'adresse de Mrs Eileen Hathall, s'il vous plaît ?

Le visage de Mrs Hathall devint aussi cramoisi que celui de son fils.

— Non, je ne vous la donnerai pas ! Vous n'avez rien à faire avec Eileen. Trouvez-la donc vous même !

Sur ce, elle sortit en claquant la porte, le laissant seul. Wexford en profita pour examiner la pièce de près. Les meubles qu'il avait crus la veille appartenir à Angela — la créditant alors d'un goût indéniable — étaient en fait aux Somerset. Il avait fallu peut-être toute une vie au père de Mark pour les réunir. Ils étaient du plus joli style de la dernière période victorienne, avec des sièges aux pieds fuselés et une élégante petite table ovale. Près de la fenêtre, il remarqua une lampe à huile vénitienne rouge et blanche. La bibliothèque vitrée renfermait la collection complète des œuvres de Kipling reliée en cuir rouge, quelques livres de H.G. Wells et de Ruskin, plusieurs titres de Trollope. Les livres des Hathall se trouvaient sur le dernier rayonnage, tout en haut, et consistaient en une demi-douzaine de romans policiers, deux ou trois ouvrages populaires d'archéologie, deux romans qui avaient fait scandale lors de leur parution à cause de l'importance qu'on y accordait à la sexualité et deux gros ouvrages avec une jaquette illustrée. Wexford prit l'un de ceux-ci. C'était un volume de reproduction en couleurs des bijoux de l'Egypte ancienne. Une mention en page deux de couverture précisait qu'il était la propriété de l'Association des archéologues. Angela l'avait volé, bien entendu. Wexford le remit en place et prit le second. Il avait pour titre : *Des hommes et des anges. Etude des anciens dialectes des îles Britanniques*. Dès qu'il l'ouvrit, Wexford vit tout de suite qu'il avait en main un livre d'érudition traitant des origines du gallois, de l'erse (1), du gaélique, du cornique (2) et de leur fond commun. Il coûtait dans les six guinées. Wexford se demanda comment des gens aussi pauvres que les Hathall prétendaient l'être avaient pu dépenser une pareille somme pour un livre dont le contenu dépassait sûrement leur entendement... et le sien.

Il tenait encore le livre en main quand Hathall entra

(1) Dialecte celtique parlé autrefois dans les Highlands d'Ecosse et en Irlande.
(2) Dialecte parlé en Cornouailles.

dans la pièce. Il porta son regard sur le volume puis l'en détourna aussitôt. Ce manège n'échappa pas à l'inspecteur.

— J'ignorais que vous aviez étudié les langues celtiques, Mr Hathall.

— Ce livre appartenait à Angela. J'ignore d'où il provenait. Elle l'avait depuis longtemps.

— C'est curieux, car il n'a été édité que cette année. Mais peu importe. J'ai pensé que vous aimeriez savoir que l'on a retrouvé votre voiture. Elle avait été abandonnée à Londres, près de la station de Green Wood. Connaissez-vous ce quartier ?

— Je n'y ai jamais mis les pieds.

Malgré lui, comme fasciné, Hathall ne cessait de ramener son regard sur le livre que Wexford tenait toujours. C'est la raison pour laquelle l'inspecteur décida de le garder et de ne pas ôter le doigt qu'il avait glissé par hasard entre les pages, comme pour marquer un passage.

— Quand pourrai-je reprendre ma voiture ?

— Dans deux ou trois jours. Lorsque nous l'aurons examinée.

— Pour ces fameuses empreintes digitales que vous continuez de rechercher ?

Il était difficile de dire ce que Robert souhaitait le plus en ce moment : savoir ce que les empreintes avaient révélé, ou voir ce livre remis en place comme si de rien n'était ? Wexford le regarda avec une amabilité un peu narquoise.

— Vous devriez cesser de vous tracasser pour des recherches que nous sommes seuls en mesure d'entreprendre. Peut-être aurez-vous l'esprit plus tranquille quand je vous aurai dit que votre femme n'a pas subi de violences.

Il attendit en vain quelque marque de soulagement mais, par contre, il vit encore les yeux au reflet rouge se porter vivement sur le livre. Aucune réponse quand il ajouta, en se préparant à partir :

— Votre femme est morte très vite, en quinze secondes tout au plus. Il est possible qu'elle ne se soit même pas rendu compte de ce qui lui arrivait... Vous ne voyez pas d'inconvénient à ce que je vous emprunte ce livre pendant quelques jours, n'est-ce pas ?

Hathall haussa les épaules sans desserrer les dents.

VII

L'enquête judiciaire eut lieu le mardi matin et conclut naturellement au meurtre. Peu après, comme il traversait la cour séparant le bureau du coroner du commissariat, Wexford vit Nancy Lake se diriger vers Robert Hathall et sa mère pour leur offrir sans doute ses condoléances et leur proposer de les ramener en voiture à Wood Lane. Hathall lui rétorqua quelque chose d'un ton sec, prit le bras de sa mère et partit rapidement, laissant Nancy plantée là, une main levée à hauteur de sa bouche. Wexford poursuivit son chemin. Il était parvenu près de la sortie du parking quand une voiture freina à sa hauteur, et une voix douce lui demanda :

— Etes-vous très occupé, monsieur l'inspecteur principal ?

— Pour quelle raison me demandez-vous cela, Mrs Lake ?

Passant la main par la portière, elle lui fit signe d'approcher d'un geste empreint de malicieuse coquetterie, que Wexford trouva irrésistible. Il obéit et se pencha vers la glace baissée.

— Voilà, dit-elle alors, j'avais réservé une table

pour deux à *l'Auberge du paon* à Pomfret. Malheureusement, mon chevalier servant m'a laissé tomber. Si je vous invitais, trouveriez-vous cela osé de ma part ?

Il en resta bouche bée. Cette riche et jolie femme, pleine de charme, lui faisait des avances. *A lui !*

Mais il lui était impossible d'accepter. Autrefois, quand il était jeune, sans attaches ni rang à tenir, c'eût été une autre histoire...

— J'ai moi aussi réservé une table pour le déjeuner, répondit-il. Au *Carousel*.

— Vous n'annulerez pas votre réservation pour être mon invité ?

— Mrs Lake, comme vous l'avez dit, je suis très occupé. Oserai-je vous dire que vous me distrairiez de mon travail ?

Elle rit, mais d'un rire sans gaieté, et son regard cessa de pétiller.

C'est quelque chose, je suppose, que d'être une distraction. Vous m'amenez à me demander si j'ai jamais été autre chose que ça... une distraction. Au revoir !

Wexford s'éloigna rapidement et prit l'ascenseur pour se rendre à son bureau tout en se demandant s'il ne s'était pas comporté comme un imbécile. Il essaya de se concentrer sur le rapport sec et technique de l'examen de la voiture de Robert Hathall.

La voiture avait été retrouvée, garée près d'Alexandra Park, par un agent qui faisait sa ronde. Elle était vide à l'exception de deux cartes routières et d'un stylo à bille sur le tableau de bord. Les seules empreintes relevées appartenaient à Robert. Elles étaient sur la partie inférieure du coffre et sur le capot. Autre découverte : deux cheveux d'Angela sur le siège du conducteur. C'était maigre.

Le sergent Martin n'eut rien d'encourageant à lui

apprendre. Aucune personne prétendant être une amie de la victime ne s'était présentée, ni apparemment ne l'avait vue sortir ou rentrer chez elle vendredi après-midi. Burden était parti aux renseignements — pour la deuxième ou troisième fois — chez les ouvriers de Wood Farm. Ce fut donc pour un déjeuner solitaire que Wexford s'en fut au *Carousel*.

Il était encore tôt, un peu plus de midi, et le restaurant était à moitié vide. L'inspecteur était assis à sa table d'angle depuis cinq minutes et avait commandé le plat du jour d'Antonio — du rôti d'agneau — quand il sentit sur son épaule un effleurement, comme une caresse. Wexford avait reçu trop de chocs dans sa vie pour tressaillir. Se tournant lentement, il se borna à dire avec un détachement qu'il était bien loin d'éprouver :

— Voilà un plaisir inattendu.

Nancy Lake s'assit en face de lui. Son ensemble de soie crème, ses cheveux soyeux, ses diamants et son sourire faisaient un éclatant contraste avec les couverts de Monoprix et la bouteille de sauce tomate en plastique.

— La montagne ne serait pas venue à Mahomet.

Il sourit. Il était ravi.

— Que voulez-vous manger ? Le rôti d'agneau n'est pas fameux, mais...

— Je prendrai seulement un café. N'êtes-vous pas flatté que je ne sois pas venue pour manger ?

Il l'était, mais jetant un regard sur le plat qu'Antonio plaçait devant lui, il rétorqua :

— Hum ! Pas terrible comme compliment.

Elle demeura silencieuse quelques instants tandis qu'il mangeait, avec, sembla-t-il au policier, une certaine tristesse dans l'expression. Mais soudain, alors qu'il s'apprêtait à lui demander pourquoi Robert l'avait repoussée avec une telle brusquerie ce matin-là, elle leva les yeux et déclara :

— Je suis triste, Mr Wexford. Les choses ne vont pas bien pour moi.

— Que se passe-t-il ? demanda-t-il franchement surpris. Pouvez-vous me le dire ?

Curieux qu'ils en fussent déjà à un degré d'intimité tel qu'il se permette une telle suggestion...

— Je ne sais pas. Non, je ne le pense pas. On reste conditionné par des habitudes de discrétion et de réserve, même si on n'en voit pas l'utilité.

— C'est vrai. Ou cela peut être vrai en certaines circonstances.

Il la sentait pourtant sur le point de se confier. Ce fut peut-être uniquement l'arrivée d'Antonio avec le café et ses manières admiratives qui l'en détournèrent. Elle haussa les épaules, mais au lieu des propos anodins auxquels il s'attendait, elle eut une phrase assez étonnante.

— C'est très mal, n'est-ce pas, de vouloir la mort de quelqu'un ?

— Pas si cela demeure un simple souhait, répondit-il, assez déconcerté. Il arrive à la plupart d'entre nous de souhaiter la mort de quelqu'un mais nous en restons là, heureusement. Est-ce que ces habitudes de discrétion et de mystère dont vous parliez ont quelque rapport avec euh... votre ennemi ?

Elle acquiesça.

— Je n'aurais pas dû en parler. J'ai été ridicule. J'ai vraiment beaucoup de chance, mais il est parfois dur d'être tour à tour une reine et une... distraction. Je récupérerai ma couronne cette année, l'an prochain, ou un de ces jours... Mon Dieu, j'ai fait tout un mystère ! Et vous êtes bien trop intelligent pour ne pas avoir deviné à quoi je fais allusion, n'est-ce pas ?... Sur ce, changeons de sujet.

Ce qu'ils firent. Plus tard, quand elle l'eut quitté et qu'il se retrouva seul, l'esprit troublé, Wexford eût été bien en peine de dire de quoi ils avaient parlé au juste, sauf que cela avait été plaisant, trop plaisant même, et lui avait laissé un désagréable sentiment de culpabilité. Non, il ne la verrait plus. Au besoin, il mangerait plutôt à la cantine. Il se sentait comme quelqu'un qui a commis l'adultère, est allé à confesse et s'est entendu dire *d'éviter l'occasion*. Mais il n'avait rien fait ! Il ne s'était même pas compromis, se contentant de parler et d'écouter.

Ce qu'il avait entendu lui avait-il été utile, au moins ? Peut-être. Toutes ces périphrases, ces allusions à un ennemi, au mystère et à la discrétion lui donnaient matière à réflexion. Robert Hathall, il le savait, n'avouerait rien, se sentant d'autant plus assuré qu'il avait la sympathie du coroner. Et pourtant, Wexford prit la direction de Wood Lane. Il ne se doutait pas que ce serait sa dernière visite à Bury Cottage et que plus d'un an s'écoulerait avant qu'il n'échange de nouveau une parole avec Hathall, bien qu'il fût appelé à revoir celui-ci.

L'inspecteur ne pensait plus au livre de langues celtiques, n'ayant même pas pris la peine d'y jeter un coup d'œil ; mais, dès son arrivée, Robert le lui réclama.

— Je vous le ferai envoyer demain matin.

Hathall parut soulagé.

— Il y a aussi ma voiture. J'en ai besoin.

— Vous pourrez la récupérer demain également.

La vieille femme revêche était probablement dans la cuisine, derrière la porte fermée. Elle avait gardé la maison en l'état impeccable dans lequel sa belle-fille l'avait laissée avant sa mort, mais en la marquant de son total manque de goût. Ainsi, sur la table ovale de

Somerset trônait un vase avec des fleurs en plastique. Quel rite funèbre avait poussé Mrs Hathall à les acheter pour les mettre là ?

Des fleurs en plastique, songea Wexford, à une saison où les fleurs véritables remplissent les jardins, les champs et les boutiques de fleuristes...

Hathall était accoudé sur le dessus de la cheminée, le poing pressé contre la joue.

— Ainsi, vous n'avez rien trouvé d'important dans ma voiture ?

— Je n'ai pas dit cela, Mr Hathall.

— Vous avez trouvé quelque chose ?

— Non. La personne qui a tué votre femme était très avisée. Je ne crois pas avoir encore rencontré quelqu'un sachant aussi bien effacer ses traces.

L'inspecteur en rajoutait un peu, laissant paraître, comme à contrecœur, une note d'admiration dans la voix. Hathall écoutait, impassible. Il avait l'air satisfait. A présent, il s'adossait à la cheminée avec une sorte d'arrogance.

— L'assassin semble avoir porté des gants pour conduire votre voiture. Apparemment, personne ne l'a vu la garer ou la conduire vendredi. Pour le moment, nous n'avons que très peu d'indices.

— Vous ne pensez plus en découvrir ?

Il brûlait de savoir, mais paraissait tout aussi soucieux de masquer sa curiosité.

— L'enquête ne fait que commencer, Mr Hathall. Qui sait ?

Peut-être était-il cruel de jouer ainsi avec lui. La fin justifie-t-elle toujours les moyens ? Et Wexford ignorait même vers quelle fin il tendait, ayant l'impression d'avancer à tâtons dans une pièce noire.

— Je puis à tout le moins vous révéler que, dans cette maison, nous avons découvert les empreintes digitales d'un autre homme que vous.

— Sont-elles... comment dites-vous, fichées ?

— Ce sont celles de Mark Somerset.

— Ah bon !...

Jamais encore Hathall n'avait paru aussi cordial à Wexford. Pour un peu, il eût gratifié le policier d'une tape dans le dos !

— Oh ! Je suis désolé ! Je ne suis vraiment pas moi-même en ce moment... J'aurais dû vous prier de vous asseoir ! Ainsi donc, les seules empreintes que vous ayez trouvées étaient celles du cousin Mark, notre coriace propriétaire ?

— Je n'ai pas dit cela, Mr Hathall.

— Il y avait aussi les miennes et... celles d'Angela, bien sûr.

— Bien sûr, mais nous avons aussi trouvé l'empreinte d'une main entière de femme dans votre salle de bains, une main droite plus précisément, avec une cicatrice en forme de L à l'extrémité de l'index.

Wexford s'attendait à une réaction mais il croyait Hathall si maître de soi qu'il pensait voir cette réaction se traduire par un regain de véhémence, son interlocuteur demandant pourquoi la police n'avait pas poussé ses recherches plus avant grâce à cet indice. Ou bien, adoptant une attitude diamétralement opposée et déclarant, avec un haussement d'épaules, que cette main était celle d'une quelconque amie de sa femme dont, tout à son chagrin, il avait omis de mentionner l'existence. Mais jamais, au grand jamais, Wexford n'eût pensé que ses paroles auraient un tel effet.

Hathall resta pétrifié. La vie semblait s'être retirée de lui. On aurait dit qu'il avait brusquement ressenti une douleur si violente qu'il en était comme paralysé. Il ne prononça pas un mot, n'émit aucun son.

Il éprouvait enfin le choc ; celui qui, avec son cortège d'incrédulité, de terreur et de détresse devant l'avenir, aurait dû l'ébranler en découvrant le cadavre de sa femme, se manifestait cinq jours plus tard. Hathall en était littéralement assommé.

Cachant son excitation, Wexford s'enquit d'un ton très naturel :

— Peut-être pouvez-vous nous éclairer sur l'identité de la femme à la cicatrice ?

Hathall donnait l'impression d'avoir un réel besoin d'oxygène. Il secoua lentement la tête.

— Absolument aucune idée, Mr Hathall ?

Le mouvement de tête continua, comme réglé par quelque terrible mouvement d'horlogerie cérébrale.

— Une empreinte de main bien nette, sur le côté de la baignoire, insista l'inspecteur. Une cicatrice en forme de L sur l'index droit, qui nous servira bien entendu de fil conducteur pour notre enquête.

Robert redressa vivement le menton tandis qu'un spasme lui secouait le corps.

— Sur la baignoire, dites-vous ?

— Oui. Vous voyez de qui il s'agit ?

— Je n'en ai pas la moindre idée.

Hathall avait parlé d'une voix faible. Son visage avait pris une couleur cadavérique, mais le sang commençait à y affluer de nouveau. Le premier moment de stupeur passé, Hathall semblait accablé par un réel chagrin. Wexford poursuivit impitoyablement :

— J'ai été frappé de voir combien vous teniez à connaître les conclusions que nous tirerions des empreintes relevées chez vous. A la vérité, je n'ai jamais rencontré un veuf accordant autant d'intérêt à l'enquête. J'en conclus que vous vous attendiez à ce que nous découvrions une certaine empreinte. S'il s'agit de celle à la cicatrice, je vous avertis que vous entravez l'enquête en gardant pour vous une information de première importance.

— Pas de menaces, hein ? Ne vous imaginez pas pouvoir me persécuter impunément !

Cette riposte, qui se voulait hautaine, fut proférée d'une voix faible.

— Je vous conseille de réfléchir, insista Wexford. La sagesse, c'est de nous exposer ce que vous savez.

Mais il suffisait au policier de voir le regard hagard de son interlocuteur pour comprendre qu'une telle franchise lui serait fatale. Car quelque alibi que cet homme pût avoir, quels que fussent l'amour et la dévotion qu'il prétendît lui vouer, il avait tué sa femme. En quittant la maison, le policier imagina Robert se laissant tomber sur un siège, les jambes coupées, le cœur battant la chamade.

Lorsqu'il avait appris qu'on avait découvert une empreinte féminine, cela lui avait porté un coup terrible. Donc, il savait qui était cette femme. S'il s'inquiétait tellement au sujet des empreintes digitales, c'était parce qu'il redoutait qu'elle en eût laissé. Toutefois, sa réaction n'avait pas été celle d'un homme appréhendant de connaître une chose qu'il soupçonne. Il avait réagi comme s'il craignait pour sa liberté et pour celle d'une autre personne.

VIII

Sa visite chez Hathall avait fait oublier à Wexford l'interlude du déjeuner. Mais en regagnant son domicile, vers 4 heures, la mémoire lui en revint avec un sentiment de culpabilité. Et s'il n'avait pas eu ce moment d'intimité avec Nancy Lake ou s'il y avait pris moins de plaisir, il n'aurait certainement pas embrassé Dora de si bon cœur ni ne lui aurait posé la question qu'il lui posa :

— Ça te dirait de passer deux jours à Londres ?

— Tu veux dire que tu dois y aller ?... Et que tu ne peux supporter de te séparer de moi ?

Il se sentit rougir. Pourquoi fallait-il qu'elle fût si perspicace ? Il eût juré qu'elle lisait dans sa pensée. Mais si elle n'avait pas été comme ça, l'aurait-il épousée ?

— Cela me plairait beaucoup, mon chéri. Quand partons-nous ?

— Si Howard et Denise veulent bien nous recevoir, dès que tu auras fait ta valise.

— Donne-moi une heure.

— O.K. Je téléphone à Denise.

Le surintendant-chef Howard Fortune, responsable de la brigade criminelle de Kenbourne Vale, était le fils de la défunte sœur de Wexford. Des années durant, ce neveu au nom prédestiné à qui tout semblait réussir sans effort en avait imposé à Wexford. Diplômé de l'université avec mention, il possédait une maison à Chelsea, avait épousé un ravissant mannequin et une promotion rapide lui avait fait atteindre un rang bien supérieur à celui de son oncle. Pourtant, une solide amitié liait les deux hommes et, après que Wexford eut aidé Howard à résoudre une affaire de meurtre à Kenbourne Vale, ces liens allèrent en se renforçant. Accueillante et sans prétention, Denise adorait sa nouvelle famille. Aussi, se réjouissait-elle de chacune de leurs visites. Quand l'inspecteur principal et sa femme arrivèrent en taxi à Teresa Street peu après 7 heures, le somptueux dîner que Denise avait prévu à leur intention était presque prêt.

— Comme vous avez minci, oncle Reg ! dit-elle en l'embrassant. Vous avez l'air en pleine forme.

— Merci. J'avoue que d'avoir maigri m'a ôté une de mes principales frayeurs à Londres.

— Ah ! laquelle ?

— Celle de ne plus pouvoir m'extraire d'un de ces tourniquets automatiques du métro.

Denise éclata de rire puis les introduisit dans le salon.

— Tu es venu pour nous parler régime ? s'enquit Howard en souriant.

— Je disais cela pour briser la glace. Non, Howard, je voulais te parler de l'affaire qui m'amène ici, mais cela peut attendre après dîner.

— Et moi qui pensais que vous veniez pour me voir ! s'écria Denise.

— C'est aussi le cas, mais une autre jeune femme m'intéresse beaucoup plus pour l'instant.

— Qu'a-t-elle que je n'ai pas ?

Wexford lui prit la main et fit mine de l'examiner.

— Une cicatrice en forme de L sur l'index...

La raison sociale *Marcus Flower* résultait de l'accolement de deux noms : Jason Marcus et Stephen Flower. Le premier, jeune, avait les cheveux longs et un physique à la Ronald Colman ; le second, cheveux courts, ressemblait plutôt à Mick Jagger en plus âgé. Wexford refusa l'offre d'une tasse de café et leur dit que, à la vérité, c'était à Linda Kipling qu'il désirait parler. Les deux autres se récrièrent que ça ne les surprenait pas, que Linda était beaucoup plus agréable à regarder qu'eux-mêmes, et qu'il n'était pas le seul visiteur dans ce cas. Puis, redevenant sérieux à l'unisson, ils prirent un ton de circonstance pour dire combien ils étaient désolés du malheur qui frappait « ce pauvre vieux Bob ».

Marcus conduisit ensuite Wexford à travers une

enfilade de pièces où le mobilier *design* se combinait avec des tapis de haute laine et des murs tendus d'étoffe, ornés de tableaux abstraits. Dans un bureau tapissé en bleu, le policier trouva la secrétaire qui l'avait accueillie, en compagnie d'une rousse et de Linda Kipling, laquelle l'informa qu'elles étaient cinq en tout.

Elle le conduisit dans un bureau désert, où elle s'assit sur le genre de siège mi-cuir, mi-métal que l'on trouve dans les salles d'attente des aéroports. Elle faisait penser à ces mannequins que l'on voit dans les vitrines des magasins élégants. Tout en contemplant ses ongles, elle lui apprit que Robert Hathall, depuis qu'il travaillait là, n'avait jamais manqué un seul jour de téléphoner à sa femme au moment du déjeuner. Elle avait trouvé cela *terriblement bien* de sa part mais, bien sûr, maintenant, ça n'en était que plus *terriblement tragique*.

— Votre sentiment est donc qu'il était heureux en ménage, miss Kipling ? Le genre d'homme qui parle beaucoup de sa femme et a une photo d'elle sur son bureau ?

Il avait effectivement sa photo, mais Liz lui avait dit un jour que cela faisait bourgeois et il l'avait enlevée.

— Je ne sais pas s'il était heureux. Il n'était jamais plein d'entrain comme Jason, Stephen, et les autres.

— Comment était-il vendredi dernier ?

— Comme d'habitude. J'ai déjà raconté cela à un policier. A quoi bon rabâcher les mêmes choses ? Il est arrivé peu avant 10 heures et il a passé la matinée à mettre au point un projet d'assurance médicale privée pour les membres du personnel. Il a téléphoné à sa femme un peu avant 13 heures puis il est sorti déjeuner avec Jason. Bob a été de retour vers 14 h 30. Je le sais parce qu'il m'a dicté trois lettres.

Elle disait cela comme s'il s'était agi d'un travail exténuant.

— Il a quitté ensuite le bureau pour aller chercher sa mère et l'emmener là où il habite, quelque part dans le Sussex.

— A-t-il jamais reçu d'appels émanant de femmes ou d'une femme ?

— *Sa* femme ne lui téléphonait jamais.

Puis, comprenant le sens de la question, elle le regarda avec des yeux ronds. Elle faisait partie de ces gens à l'esprit étroit que toute allusion à quelque chose d'inhabituel dans le domaine du sexe fait glousser.

— Une petite amie, vous voulez dire ? Personne de ce genre ne lui a jamais téléphoné.

— Etait-il attiré par une des filles d'ici ?

Elle le regarda, sidérée.

— Les filles *d'ici* ?

— Ma foi, vous êtes cinq filles, miss Kipling, qui, si j'en juge d'après les trois que j'ai vues, sont loin d'être repoussantes. Est-ce que Mr Hathall était plus particulièrement ami avec l'une d'entre vous ?

— Vous voulez dire : une liaison ? S'il *couchait* avec l'une d'entre nous ?

— Si vous préférez, oui. Après tout, il vivait seul, momentanément séparé de sa femme. Je suppose que vous étiez toutes ici, vendredi après-midi.

— Bien sûr, que nous étions toutes ici ! Et quant à penser que Bob Hathall ait eu une liaison avec l'une d'entre nous, sachez que June et Liz sont mariées, Clare est fiancée et Suzanne est la fille de lord Carthew.

— Est-ce que cela l'empêche de coucher avec un homme ?

— Cela l'empêche de coucher avec quelqu'un

comme... comme Bob Hathall. Et ceci vaut pour nous toutes !

Wexford lui dit au revoir et regagna Piccadilly où il entra dans une cabine téléphonique et composa le numéro de *Craig & Butler* experts-comptables. On lui répondit que Mr Butler était occupé pour le moment mais le recevrait volontiers à 15 heures. Qu'allait-il faire dans l'intervalle ? Certes, il avait trouvé l'adresse de Mrs Eileen Hathall mais Croydon était trop loin pour pouvoir aller lui rendre visite et être de retour avant 15 heures. Alors pourquoi ne pas chercher à en savoir un peu plus sur Angela et la période ayant précédé son mariage, ce mariage que tout le monde disait heureux mais qui s'était terminé par un meurtre ?

Wexford feuilleta l'annuaire et trouva l'adresse qu'il cherchait : bibliothèque de l'*Association des archéologues*, 17 Trident Place, Knightsbridge. Il gagna ensuite d'un bon pas la station de métro de Piccadilly Circus.

Trident Place était une rue large avec des maisons à quatre étages de l'époque victorienne, toutes cossues et bien entretenues. Le 17 avait deux lourdes portes vitrées à encadrement d'acajou. Wexford les franchit pour pénétrer dans un vestibule sur les murs duquel étaient accrochés des photos monochromes d'amphores et des portraits d'archéologues à l'air triste. Une autre porte l'amena dans la bibliothèque même. L'atmosphère y était celle que l'on trouve dans ces endroits : calme, studieuse, exhalant une odeur de vieux livres. Il y avait peu de monde. Deux jeunes filles et un jeune homme travaillaient avec application derrière le comptoir en chêne poli. Ce fut une des jeunes filles qui conduisit Wexford à l'étage. Ils passèrent devant d'autres portraits, d'autres photographies, devant une salle de lecture au silence sépulcral avant d'atteindre le bureau de la chef-bibliothécaire.

Marie Marcovitch était petite, probablement originaire d'Europe centrale. Elle parlait un anglais académique avec un léger accent. Elle le pria de s'asseoir et ne montra aucune surprise lorsqu'elle apprit qu'il venait la questionner pour une affaire de meurtre, bien qu'elle n'eût pas tout d'abord fait de rapprochement entre la victime et la jeune femme qui travaillait sous ses ordres.

— Elle vous a quittée avant son mariage, dit Wexford. Comment la décririez-vous : dure et malgracieuse, ou inquiète et timide ?

— Elle était réservée. Je pourrais ajouter que... Mais non, la pauvre fille est morte. (Après une brève hésitation, elle enchaîna vivement :) Je ne vois vraiment pas ce que je pourrais vous apprendre à son sujet. Elle était très... quelconque.

— J'aimerais que vous me disiez tout ce que vous savez sur elle.

— Elle avait été engagée ici, il y a cinq ans environ. Ce n'est pas l'habitude de la bibliothèque d'embaucher des gens sans diplômes universitaires, mais Angela était une bibliothécaire qualifiée et avait une certaine connaissance de l'archéologie.

L'atmosphère ambiante rappela à Wexford ce livre qu'il avait encore en sa possession.

— Portait-elle un intérêt particulier aux langues celtiques ?

Miss Marcovitch parut surprise.

— Pas à ma connaissance.

— Bien. Continuez, je vous prie.

— Je ne sais comment continuer. Angela faisait son travail correctement, bien qu'elle s'absentât assez souvent pour de vagues raisons médicales. Elle se débrouillait mal avec l'argent.

Wexford remarqua sa nouvelle hésitation.

— ... Je veux dire qu'elle n'arrivait pas à vivre avec son salaire et se plaignait souvent de ne pas gagner assez. J'ai cru comprendre qu'elle empruntait de petites sommes d'argent aux autres membres du personnel, mais cela ne me regardait pas... Je crois qu'elle travaillait ici depuis quelques mois quand elle a rencontré ce Mr Hathall. Elle s'était tout d'abord liée d'amitié avec un certain Mr Craig qui était aussi employé ici, mais qui nous a quittés depuis. En fait, tout le personnel de cette époque est parti, sauf moi. Je n'ai jamais rencontré Mr Hathall.

— Mais vous avez vu la première Mrs Hathall ?

La bibliothécaire pinça les lèvres et joignit sur les genoux ses petites mains sèches.

— Cela ressemble fort à de l'indiscrétion.

— Comme une grande partie de mon travail, miss.

— Eh bien...

La bibliothécaire arbora soudain un sourire inattendu, presque méchant.

— Quand le vin est tiré, il faut le boire, n'est-ce pas ? Oui, j'ai vu la première Mrs Hathall. Je me trouvais dans la bibliothèque quand elle est venue. Vous n'avez pas été sans remarquer combien cet endroit est calme. On n'y élève guère la voix et on y marche à pas feutrés. J'avoue m'être mise en colère quand cette femme a fait irruption et s'est précipitée sur Angela, pour la prendre à parti. Il était impossible de ne pas comprendre qu'elle lui reprochait de lui avoir volé son mari. J'ai demandé alors à Mr Craig de nous débarrasser de cette femme aussi discrètement que possible et j'ai emmené Angela dans mon bureau. Là, je lui ai dit que sa vie privée ne me regardait pas, mais qu'une chose pareille ne devait plus se reproduire.

— Et ça ne s'est plus reproduit ?

— Non, mais le travail d'Angela en a souffert. Elle

faisait partie de ces gens qui perdent leurs moyens devant l'épreuve. J'ai été navrée pour elle lorsqu'elle m'a annoncé qu'elle devait nous quitter sur le conseil de son médecin.

Considérant qu'elle n'avait plus rien à ajouter, la bibliothécaire se leva, mais Wexford, au lieu de l'imiter, dit d'une voix sèche :

— Ce n'est pas tout, miss Marcovitch...

Elle rougit et eut un petit rire embarrassé.

— Que vous êtes perspicace, inspecteur ! Oui, il y a encore une chose. Je suppose que vous avez remarqué mes hésitations. Je ne l'avais jamais raconté à personne, mais...

Elle se rassit et dit avec affectation :

— Les abonnés de la bibliothèque payent une redevance assez élevée, vingt-cinq livres par an. Ils prennent grand soin des livres qu'ils empruntent. Aussi, nous ne les pénalisons pas s'ils les gardent au-delà du temps alloué d'un mois. Bien entendu, nous ne le crions pas sur les toits, et beaucoup de nouveaux abonnés ont été agréablement surpris de ne pas avoir à payer d'amende lorsqu'ils nous ont rendu les livres après deux ou trois mois.

» Peu après qu'Angela nous eut quittés, je me trouvais au comptoir et un adhérent m'a rendu trois volumes avec six semaines de retard. Je n'aurais fait aucun commentaire s'il ne m'avait aussi remis une livre quatre-vingts en précisant que c'était le montant exact de l'amende, à raison de dix pence par livre et par semaine de retard. Quand je lui eus dit qu'on ne faisait jamais payer d'amende, il me rétorqua que depuis un an, il lui était arrivé une fois d'avoir gardé des volumes plus d'un mois : à cette occasion, la « jeune personne » lui avait réclamé une livre vingt. Il n'avait pas protesté, trouvant l'amende raisonnable... Bien entendu, j'ai mené ma petite enquête auprès du personnel, et deux employées m'apprirent que d'autres abonnés avaient voulu leur verser des amendes pour des livres rendus en retard. Elles avaient refusé.

— Et vous croyez que la coupable était Angela ?

Ça ne pouvait être qu'elle. Mais elle était partie, le mal n'était pas bien grand et je n'avais nulle envie de soulever la question à une réunion du conseil d'administration. En outre, Angela était passée par une dure épreuve et il ne s'agissait que d'une toute petite escroquerie. Je doute que cela lui ait rapporté plus de dix livres au maximum.

IX

Une toute petite escroquerie... La silhouette floue d'Angela commençait à émerger du brouillard, à prendre des contours plus définis : une paranoïaque avec une tendance à l'hypocondrie, intelligente, mais incapable de conserver un emploi stable, financièrement instable au point de ne pas hésiter à se procurer de l'argent par des moyens frauduleux. Comment avait-elle pu, dans ces conditions, réussir à vivre avec quinze livres par semaine, pendant près de trois ans ?

Wexford quitta la bibliothèque et prit le métro jusqu'à Chancery Lane. La firme *Craig & Butler*, experts-comptables, avait ses bureaux au troisième étage d'un vieil immeuble situé à proximité du *Royal Free Hospital*. Il déjeuna d'une salade et d'un jus d'orange dans un café voisin et, à 15 heures moins 1, il pénétrait dans le bureau de William Butler, l'associé principal. La pièce était presque aussi calme que la bibliothèque et Mr Butler aussi desséché que miss

Marcovitch, mais son sourire était engageant. Le portrait d'un homme âgé en tenue de soirée était accroché au mur.

— Mon ancien associé, Mr Craig, précisa William Butler.

— C'est son fils qui a présenté Robert à Angela ?

— Non, son neveu. Paul, le fils, est mon associé depuis que son père s'est retiré des affaires. C'est Jonathan qui travaillait à la bibliothèque de l'Association des archéologues.

— J'ai cru comprendre que les présentations avaient eu lieu ici, à une réception.

Le vieil homme émit un curieux gloussement. On aurait dit une corde de violon que l'on racle.

— Une réception ici ? Où aurions-nous mis le buffet, sans parler des invités ? Non, la réception avait lieu au domicile de Mr Craig, à Finchley, pour fêter sa retraite après quarante-cinq ans passés à la firme.

— Vous y avez vu Angela ?

— C'est d'ailleurs la seule fois que je l'ai vue. Joli brin de fille, malgré cet air de poney des Shetland qu'arborent tant d'entre elles de nos jours. Et elle portait un pantalon. Personnellement, je pense qu'une femme devrait mettre une jupe pour aller à une réception. Bob Hathall en a tout de suite pincé pour elle. Cela sautait aux yeux.

— Ça n'a pas dû plaire à Jonathan Craig ?

Nouveau couinement de corde à violon.

— Oh ! il ne tenait pas tellement à elle ! D'ailleurs, il s'est marié depuis. Sa femme n'a rien d'une Vénus mais elle est riche, très riche. Cette Angela n'aurait pu s'entendre avec la famille, dont les membres sont loin d'avoir ma largeur d'esprit. Notez bien que j'ai eu moi-même une piètre opinion d'Angela le jour où elle est allée dire à Paul qu'il avait « de la veine de faire un boulot où on apprend à trafiquer sa déclaration d'impôts ». Dire une chose pareille à un comptable, c'est comme déclarer à un médecin qu'il a de la chance de pouvoir se procurer de l'héroïne.

Mr Butler gloussa.

— J'ai rencontré également la première Mrs Hathall, vous savez ? En voilà une qui n'avait pas froid aux yeux ! Le cinéma qu'elle nous a fait ! Une fois, elle est restée assise dans l'escalier en attendant qu'il sorte. Il s'est aussitôt barricadé ici et il y a passé la nuit. Dieu sait à quelle heure elle est rentrée chez elle ! Le lendemain, elle était de nouveau là et elle s'en est prise à moi, pour que j'oblige Bob à revenir avec elle et sa fille. C'était du joli !

— Et pour finir, vous avez renvoyé Hathall.

— Jamais de la vie ! C'est lui qui vous a raconté cela ?

Wexford fit un signe de tête affirmatif.

— Quel toupet ! Bob Hathall a toujours été un menteur. Je vais vous dire ce qui est arrivé, croyez-le ou pas. Après cette scène, je l'ai fait venir pour lui conseiller de conduire ses affaires privées un peu mieux. Il s'est emporté, et m'a lancé sa démission au visage. J'ai essayé de l'en dissuader. Je lui ai fait remarquer que, s'il devait divorcer, il aurait besoin d'argent. Or, nous comptions l'augmenter. Mais il n'a rien voulu entendre, répétant que tout le monde ici était contre lui et son Angela. Voilà comment il nous a quittés pour un travail de trois fois rien. Ça lui apprendra !

« Qui se ressemble s'assemble », se dit Wexford. Il demanda à Mr Butler si Robert Hathall avait jamais fait une chose tant soit peu louche au regard de la loi. Mr Butler parut choqué.

— Certainement pas. J'ai dit qu'il était menteur, mais c'était un garçon honnête.

— Etait-il coureur ?

William Butler secoua la tête avec véhémence.

— Lorsqu'il est arrivé ici, il ne sortait qu'avec celle qui allait devenir sa première femme. Ils sont d'ailleurs restés fiancés Dieu sait combien d'années. Bob avait des idées si étroites et était tellement renfermé que, pour lui, les autres femmes n'existaient pas. Nous avions une dactylo plutôt jolie et il lui prêtait autant d'attention qu'à une machine à écrire. Et il a tout balancé pour cette Angela, s'amourachant d'elle comme un écolier romantique ! Cela se passe souvent ainsi. Ceux qui se révèlent sur le tard sont toujours les pires.

— Se peut-il qu'il ait alors voulu rattraper ce retard ?

— Peut-être, mais là, je ne puis vous être d'aucun secours. Vous pensez qu'il se serait débarrassé de cette Angela ?

— Je me garderais bien d'émettre une telle hypothèse, répondit Wexford en regagnant la porte avec son hôte.

— Question idiote, hein ? convint Butler. C'est plutôt l'autre qu'il aurait tuée. Tenez, elle s'était assise là, juste sur la marche où vous êtes en ce moment. Je ne l'oublierai jamais aussi longtemps que je vivrai.

Howard Fortune était un homme grand et d'une extrême maigreur en dépit de son énorme appétit. Des Wexford, il tenait ses cheveux d'un blond pâle et des yeux gris-bleu, petits et vifs. Il avait toujours ressemblé à son oncle. Assis l'un en face de l'autre dans le cabinet de travail, ils auraient pu passer pour père et fils. Wexford bavardait avec son neveu aussi familièrement qu'avec l'inspecteur Burden, et Howard lui répondait sans contrainte.

Leurs femmes étaient sorties. Après avoir passé la journée à courir les magasins, elles étaient allées au théâtre. L'oncle et le neveu avaient donc dîné seuls. Tandis que Howard dégustait son cognac et lui du vin blanc, Wexford développait la thèse qu'il avait avancée la veille.

— Selon moi, la seule explication possible à l'effroi ressenti par Hathall — car c'était bien de l'effroi, Howard — quand je lui ai parlé de cette empreinte de main, c'est qu'il a organisé le meurtre d'Angela avec l'aide d'une complice.

— Une femme avec qui il aurait une liaison ?... Mobile bien mince de nos jours, non ? Il est assez facile de divorcer, et il n'y avait pas d'enfant.

— Tu n'y es pas, répliqua Wexford. Même avec le nouvel emploi qu'il a trouvé, Hathall n'aurait pu payer les pensions de ses deux divorces. C'est exactement le genre d'homme à estimer qu'il est justifié de tuer si un meurtre peut lui éviter de s'enfoncer davantage dans le pétrin.

— Alors sa maîtresse serait venue au cottage dans l'après-midi...

— A moins qu'Angela ne soit allée la chercher.

— Là, je ne te suis plus.

— Angela avait dit à une de ses voisines, Nancy Lake, qu'elle allait sortir.

Wexford but une gorgée de vin pour dissimuler le trouble que la simple mention de ce nom suscitait en lui.

— Oui, peut-être bien... La fille aura étranglé Angela avec un collier doré, que l'on n'a pas retrouvé, puis effacé toutes ses empreintes sauf celle relevée sur le rebord de la baignoire. C'est là ton idée ?

— Oui. Elle aura ensuite pris la voiture de Robert pour aller à Londres, où elle l'a abandonnée près de Green Wood. J'irai peut-être demain de ce côté mais je crains fort que cela ne serve à rien. Il y a de grandes chances pour que la fille habite très loin de là.

— Tu iras ensuite à cette fabrique de jouets de... comment ça s'appelle ? Toxborough ? Je ne saisis pas pourquoi tu gardes ça pour la fin. Hathall y a travaillé depuis son remariage jusqu'en juillet dernier, non ?

— C'est précisément pour ça. Selon moi, il aura connu cette femme soit avant de rencontrer Angela, soit après trois ans de mariage. Tout le monde admet qu'il était amoureux de sa femme. Il est donc peu probable qu'il ait noué une nouvelle idylle pendant les premiers temps de son remariage.

— Oui, je vois... Mais pourquoi serait-ce forcément quelqu'un qu'il a connu à son travail ? Pourquoi ne l'aurait-il pas rencontrée au-dehors ou ne serait-ce pas la femme d'un ami ?

— Parce qu'il ne semble pas avoir eu d'amis, ce qui se comprend assez bien ! Lors de son premier mariage, Eileen et lui ont dû se lier d'amitié avec d'autres couples mariés, mais tu sais comment cela se passe, Howard. Dans ces cas-là, les amis du ménage sont soit des voisins, soit des amies de la femme et leurs maris. N'est-il pas alors vraisemblable de penser que, au moment du divorce, tous ces gens se soient groupés autour d'Eileen ? En d'autres termes, ils auraient déserté Robert et seraient restés les amis de sa première épouse.

— Cette inconnue pourrait aussi être une femme qu'il aurait draguée dans la rue ou avec qui il aurait lié conversation dans un café. As-tu songé à cela ?

— Evidemment. Et si c'est le cas, mes chances de la retrouver sont minces.

— Bref ! Demain, tu te rends à Green Wood. De mon côté, je prendrai ma journée car je dois assister à un dîner, à Brighton. J'aurai le temps de t'accompagner.

La sonnerie du téléphone coupa court aux remerciements de Wexford. Howard décrocha, puis tendit le combiné à son oncle. Celui-ci reconnut la voix de Burden.

— Une bonne nouvelle d'abord, annonça l'inspecteur.

Wexford apprit ainsi que quelqu'un s'était enfin présenté pour déclarer avoir vu la voiture de Hathall sur le point de s'engager dans l'allée de Bury Cottage, à 15 h 5 le vendredi précédent. Ce témoin avait bien vu la conductrice. C'était une jeune femme brune qui portait un chemisier rouge à carreaux. Une autre personne se trouvait à côté d'elle, une femme certainement, mais le témoin était incapable de fournir plus de détails. D'après lui, la voiture était sur le point de s'engager dans l'allée du cottage, le clignotant de droite fonctionnait.

— Pour quelle raison ne s'est-il pas présenté plus tôt ?

— Il n'était dans la région que pour le week-end et il a déclaré ne pas avoir ouvert un journal avant aujourd'hui.

— Il y en a, grommela Wexford, qui vivent vraiment comme des taupes ! Si c'est ça la bonne nouvelle, quelle est la mauvaise ?

— Elle n'est peut-être pas si mauvaise. Le commissaire vous cherchait. Il veut vous voir demain à 15 heures précises.

— Bon. Green Wood, ce sera donc pour une autre fois, dit Wexford à son neveu avant de lui répéter les propos de Burden. Et il faudra que je choisisse entre *Kidd* à Toxborough et Eileen à Croydon. Je n'aurai pas le temps pour les deux.

— Ecoute, Reg. Et si je te conduisais à Croydon puis à Kingsmarkham via Toxborough ? Il me resterait encore trois ou quatre heures devant moi pour me rendre à Brighton.

— Ça ne t'ennuierait pas trop ?

— Au contraire. Je brûle de voir cette virago d'Eileen Hathall. Je te raccompagnerai à Kingsmarkham
et Dora pourra rester encore un peu chez nous avec
Denise.

Quand Dora rentra dix minutes plus tard, elle ne se
fit pas prier pour prolonger son séjour à Londres
jusqu'au dimanche.

— Mais tu sauras te débrouiller ?

— Ne t'inquiète pas.

Wexford, cependant, était pensif. Il se demandait
ce qu'il devait penser de la convocation du commissaire.

X

La maison que Robert Hathall avait achetée lors de
son premier mariage était une de ces villas jumelées
qui poussèrent par milliers sinon par dizaines de
milliers pendant les années 30. Elle avait une baie en
saillie donnant sur la rue, et un auvent décoratif en
bois, au-dessus de la porte d'entrée. Un pignon sur-
montait la fenêtre de la chambre à coucher. Il y en
avait près de quatre cents autres identiques dans la
rue, large artère par laquelle le trafic s'écoulait vers le
sud.

— Cette baraque, dit Howard, a dû coûter dans les
six cents livres à sa construction. Hathall aura payé
dans les quatre mille livres pour l'acquérir. Quand
s'est-il marié ?

— Il y a dix-sept ans.

— Oui, ça valait dans les quatre mille, et maintenant, ça doit frôler les dix-huit mille.

— Cette somme aurait bien arrangé Hathall, remarqua Wexford, seulement, il ne peut pas vendre la maison.

Tous deux descendirent de voiture et se dirigèrent vers la porte d'entrée.

Eileen Hathall ne présentait aucun des signes extérieurs de la virago : la quarantaine, petite, le teint coloré, la taille serrée dans une étroite robe verte, elle était de ces femmes que dans leur jeunesse l'on compare à des roses, mais que l'âge n'arrange pas. Des restes de sa beauté passée subsistaient dans ses traits empâtés, sa peau encore fraîche et ses cheveux roux qui avaient été blonds.

Elle les introduisit dans le salon. Son ameublement n'avait pas le charme de celui de Bury Cottage mais tout y était aussi propre. Il y avait quelque chose d'oppressant dans l'ordre de cette pièce et dans l'absence de tout objet qui ne fût pas conventionnel. Wexford chercha la trace d'un passe-temps quelconque pouvant exprimer la personnalité d'Eileen et de sa fille. Rien, pas un livre, pas une revue. On aurait dit la vitrine d'un magasin d'ameublement avant que l'employé n'y ajoute ces touches qui lui donneront l'air d'un véritable intérieur. En dehors d'une photo encadrée, il n'y avait qu'un seul tableau représentant une gitane coiffée d'un chapeau noir sur des boucles brunes, une rose entre les dents. Wexford avait vu la même sur les murs d'une centaine de pubs.

Bien qu'on fût au milieu de la matinée et qu'Eileen eût été prévenue de leur arrivée, elle ne leur offrit rien à boire. A croire que les manières de sa belle-mère avaient déteint sur elle, ou que son manque d'hospitalité était l'un des traits que la vieille Mrs Hathall appréciait chez elle. Cependant, celle-ci avait dû être abusée à d'autres égards. Car loin de demeurer sur la réserve, Eileen montra vite une propension à parler abondamment et avec amertume de sa vie privée.

Wexford commença par lui demander comment elle avait passé le vendredi précédent. Elle répondit, d'une voix calme, qu'elle était restée chez son père jusqu'au soir parce que sa fille avait fait une excursion en France organisée par l'école et n'était revenue que peu avant minuit. Howard, qui connaissait bien Londres, s'avisa qu'il habitait une rue voisine de celle où demeurait la mère de Robert Hathall. Quand il en fit la remarque, le rouge monta aux joues d'Eileen et ses yeux brûlèrent du ressentiment qui constituait maintenant le ressort de sa vie.

— Nous avons grandi ensemble, Bob et moi. Nous allions à la même école, et pas un jour ne se passait sans que nous nous voyions. Après notre mariage, nous ne nous sommes jamais séparés une seule nuit jusqu'à ce que cette femme vienne me voler mon mari !

Convaincu qu'il est impossible à un tiers de briser un ménage heureux et uni, Wexford ne fit aucun commentaire.

— Quand avez-vous rencontré pour la dernière fois votre ex-mari ? s'informa-t-il.

— Je ne l'ai pas vu depuis trois ans et demi.

— Mais je suppose que la loi lui permet de voir Rosemary ?

Les traits d'Eileen étaient devenus amers.

— Il est autorisé à la voir un dimanche sur deux. J'envoyais Rosemary chez la mère de Bob. Il allait l'y chercher et la sortait pour la journée.

— Vous n'assistiez jamais à ces retrouvailles entre père et fille ?

Elle baissa la tête pour cacher peut-être son humiliation.

— Il disait qu'il ne viendrait pas si j'étais là.

— Vous avez dit, *j'envoyais*. Dois-je comprendre que ces rencontres entre père et fille ont cessé ?

— Rosemary est assez âgée pour se faire une opinion. La mère de Bob et moi, nous nous sommes toujours bien entendues. Rosemary pouvait se douter de ce que nous pensions, elle était assez mûre pour comprendre ce que j'ai souffert par la faute de son père. Il est naturel qu'elle ait estimé que ce qu'il avait fait était mal. Elle lui en a voulu.

— Elle a cessé de le voir ?

— Elle ne *voulait plus* le voir. Elle disait avoir mieux à faire le dimanche. Sa grand-mère et moi lui donnions tout à fait raison. Elle n'est allée qu'une seule fois dans ce cottage avec lui. Elle est revenue en larmes. Pouvez-vous imaginer un père laissant sa fille le voir embrasser une autre femme ? C'est pourtant ce qui est arrivé. Quand ce fut l'heure de ramener Rosemary, elle le vit prendre cette femme dans ses bras et lui donner des baisers. « Comme ceux qu'on voit à la télévision », m'avait dit Rosemary. Je n'entrerai pas dans les détails, mais ça m'a dégoûtée. Résultat ? Rosemary ne supporte plus son père et je ne l'en blâme pas. J'espère seulement que cela ne la traumatisera pas.

L'afflux de sang avait congestionné son visage et ses yeux lançaient des éclairs.

— Bob n'a pas apprécié ! Il a supplié Rosemary de le voir, lui a écrit des lettres et Dieu sait quoi encore. Il lui a envoyé des cadeaux, proposé de l'emmener en vacances. Lui qui prétendait ne pas avoir un sou, lui qui s'était battu pour empêcher qu'on m'alloue cette maison et un peu d'argent pour vivre ! Alors qu'il en a assez quand c'est pour le dépenser avec n'importe qui sauf moi !

— Est-ce Rosemary ? demanda Howard en désignant la photographie encadrée.

— Oui, c'est ma Rosemary, répondit-elle, tout essoufflée du flot de paroles qu'elle avait débité.

Oncle et neveu contemplèrent le portrait d'une fille plutôt laide au visage lourd, avec une petite croix en or suspendue à une chaîne de cou, des cheveux noirs et raides tombant jusqu'aux épaules et une ressemblance marquée avec sa grand-mère paternelle. Incapable de mentir en disant la trouver jolie, Wexford s'enquit de ce qu'elle comptait faire en quittant le lycée. Il fut bien inspiré car la question calma Eileen et son amertume fit place à de la fierté.

— Elle ira à l'université. Tous ses professeurs disent qu'elle est douée. Bob devra faire beaucoup d'économies, *maintenant*. J'ai dit à ma fille que je ne voyais aucun inconvénient à ce qu'elle poursuive ses études jusqu'à vingt-cinq ans s'il le faut. Je vais m'arranger pour que la mère de Bob demande à son fils de lui donner une voiture pour son dix-huitième anniversaire. Mon frère lui a appris à conduire et elle passera son permis dès qu'elle en aura l'âge. Bob se doit de lui offrir une voiture. Ce n'est pas parce qu'il a gâché ma vie qu'il doit gâcher celle de notre fille !

En la quittant, Wexford lui tendit la main. Elle la serra comme à contrecœur. Cette attitude était probablement due à son manque de cordialité naturelle, trait qu'elle partageait avec les Hathall. Il baissa les yeux et garda la main assez longtemps pour s'assurer qu'elle ne portait pas de cicatrice à l'index.

— Nous pouvons être reconnaissants à nos femmes ! dit Howard avec conviction lorsqu'ils eurent regagné la voiture. Hathall n'a sûrement pas tué Angela pour revenir à celle-là !

— As-tu remarqué qu'elle n'a pas une seule fois fait état de la mort d'Angela ? Je n'ai jamais vu une famille capable d'autant de haine !

Wexford pensa soudain à ses deux filles pour l'éducation desquelles il avait dépensé sans compter et avec joie.

— Ce doit être terrible de devoir entretenir quelqu'un que l'on hait et acheter des jouets pour une gosse à qui l'on a appris à vous haïr, ajouta-t-il.

— Oh oui ! Mais d'où Hathall tirait-il l'argent pour les cadeaux et les vacances projetées, Reg ? Pas des quinze livres par semaine.

Ils arrivèrent à Toxborough à midi et demi. L'usine *Kidd*, grande bâtisse blanche en ciment, fabriquait des jouets. Le directeur, un certain Mr Aveney, dit à Wexford que l'entreprise employait trois cents salariés, pour la plupart des femmes travaillant à mi-temps. Le personnel administratif, peu nombreux, était composé de lui-même, du directeur du personnel, du comptable employé à mi-temps ayant succédé à Hathall, de sa secrétaire, de deux dactylos et d'une standardiste.

— Vous voulez savoir quel personnel féminin de bureau nous employions lorsque Mr Hathall était ici, si j'ai bien compris ce que vous m'avez demandé au téléphone ? J'ai fait de mon mieux pour vous dresser une liste avec les noms et adresses, mais le personnel change constamment. Il ne reste au bureau plus aucune des employées qui y étaient durant le temps où Hathall a travaillé chez nous. Le directeur du personnel travaille pour la maison depuis cinq ans, mais il a son bureau à l'atelier et je doute que Hathall et lui se soient jamais rencontrés.

— Pouvez-vous vous rappeler s'il était en termes particulièrement amicaux avec une des employées ?

— Je peux vous assurer que non. Il était amoureux fou de sa femme, celle qui s'est fait tuer. Je n'ai jamais vu un mari aussi mordu que lui.

Wexford était fatigué d'entendre parler de l'amour de Robert. Il jeta un coup d'œil sur la liste. Les mêmes prénoms revenaient : June, Jane, Susan, Linda, Julie. Toutes ces employées vivaient à Toxborough et dans les environs. Aucune n'était restée chez *Kidd* plus de six mois. Entrevoyant l'horrible perspective de semaines de travail durant lesquelles une douzaine de ses hommes rechercheraient cette Jane, cette Julie ou cette Susan, il mit la liste dans sa serviette.

Ils retrouvèrent Howard en compagnie d'une employée qui le pilotait entre les postes où des femmes en salopette et enturbannées démoulaient des poupées en plastique.

— Je crains que ce ne soit un coup pour rien, dit Wexford après qu'ils eurent quitté Mr Aveney. Je m'en doutais un peu. Cependant, il te reste encore beaucoup de temps avant ton dîner. Et je serai moi aussi à l'heure pour passer sur le gril devant le commissaire. Pour éviter les embouteillages, je peux t'indiquer des routes détournées et te montrer une ou deux choses intéressantes.

Howard acquiesça et son oncle le guida pour retrouver la route de Myringham. Ils traversèrent le cœur de la ville et passèrent tout près de la maison où vivait Mark Somerset.

— Suis les panneaux de signalisation pour Pomfret et nous gagnerons Kingsmarkham par Wood Lane.

Moins de dix minutes plus tard, ils roulaient sur des chemins vicinaux. Là, dans le Sussex vallonné, aux collines couronnées de bouquets d'arbres, avec ses forêts de sapins et ses petites fermes aux toits bruns nichées dans des creux boisés, la campagne n'était pas encore profanée. Les champs de blé étaient moissonnés depuis longtemps et les chaumes étaient d'un blond pâle.

— Tu prendras le tournant de Kingsmarkham à un peu plus de quinze cents mètres. C'est un chemin qui, après Wood Farm, devient Wood Lane. Je crois qu'Angela a dû passer ici vendredi avec sa passagère, mais d'où venait-elle ?

Howard négocia le virage en question. Ils dépassèrent Wood Farm et, à l'endroit où le panneau indiquait Wood Lane, la route se rétrécissait en une sorte de tunnel ne permettant le passage que d'une seule voiture, mais ils n'en croisèrent aucune, les automobilistes préférant en général éviter ce circuit dangereux.

— Bury Cottage, annonça Wexford.

Howard ralentit légèrement. A ce moment, Robert Hathall arriva d'un côté de la maison, des cisailles à la main, puis, sans lever les yeux, entreprit de tailler la haie. Wexford pensa que sa mère avait dû le harceler pour qu'il s'attelle à ce travail inhabituel.

— C'est lui, Howard. Tu l'as vu ?

— Assez pour l'identifier s'il le fallait, mais je suppose que je n'aurai pas à le faire.

Oncle et neveu se séparèrent devant le commissariat. La Rover du commissaire était garée dans la cour. Il était en avance, mais Wexford aussi. Inutile de se presser et de se présenter tout essoufflé, l'air contrit. Wexford prit donc tout son temps et marcha presque avec détachement au-devant de l'épreuve qui l'attendait.

— Je devine de quoi il s'agit. Robert Hathall s'est plaint.

— Vous pouvez le dire, oui, rétorqua Charles Griswold, et cela ne fait qu'aggraver votre cas.

Le commissaire fronça les sourcils et se redressa, dominant nettement les 1 m 83 de Wexford. Il ressemblait au général de Gaulle dont il portait les initiales. A force de se l'entendre répéter, il avait fini par modeler sa personnalité sur celle du général. Ainsi, il avait pris l'habitude de parler du Sussex avec le même timbre de voix que l'illustre homme d'Etat parlait de la France.

— Il m'a adressé une plainte rédigée en termes fort énergiques. Vous auriez cherché à le démonter par une question inattendue concernant une empreinte digitale, puis vous seriez parti sans attendre sa réponse. Avez-vous des raisons de penser qu'il a supprimé sa femme ?

— Pas de ses propres mains. Il se trouvait dans son bureau au moment du crime.

— Alors, à quel jeu jouez-vous, bon sang ? Je suis fier du Sussex. J'ai consacré toute une vie de travail au Sussex. J'étais fier aussi de mes officiers de police, convaincu que leur conduite était non seulement au-dessus de tout reproche mais jugée telle par tout le monde.

Griswold exhala un profond soupir.

Dans un instant, pensa Wexford, il est fichu de me dire : « l'Etat, c'est moi. »

— Pourquoi harcelez-vous cet homme, Wexford ? Il parle de *persécution*.

— C'est le mot qu'il emploie toujours, commissaire.

— Ce qui veut dire ?

— Il est paranoïaque.

— N'utilisez jamais ce jargon, Reg ! Avez-vous la moindre preuve concrète contre ce type ?

— Non, rien, sinon le sentiment très net qu'il est coupable.

— Sentiment ? Nous n'entendons que trop parler de sentiments de nos jours ! Vous devriez le savoir, que diable ! Voulez-vous dire qu'il avait un complice ? Avez-vous une idée de qui pourrait être ce complice ? Une preuve *contre lui* ?

Wexford ne pouvait répondre que : « Non, aucune. » Il ajouta, d'un ton plus ferme :

— Puis-je voir sa lettre ?

— Il n'en est pas question ! Je vous en ai donné la substance. Vous devriez m'être reconnaissant de vous épargner ainsi des remarques désobligeantes sur vos manières et votre façon d'agir. Il affirme que vous lui avez volé un livre.

— Et vous le croyez ?

— Non, Reg. Mais renvoyez-le-lui, et vite. Et laissez-le tranquille, compris ?

— Le laisser tranquille ? Mais je dois encore l'interroger ! Je ne vois pas comment je pourrais poursuivre mon enquête sans cela !

— Je vous demande de le laisser tranquille. C'est un ordre. Je ne tiens pas à sacrifier la réputation du Sussex à vos *sentiments* !

XI

Cet entretien du 2 octobre mit fin à l'enquête officielle de Wexford sur la mort d'Angela Hathall.

Il n'avait plus aucun espoir d'éclaircir cette affaire de meurtre d'une façon directe et régulière. Sur le moment, il ne s'en douta guère, éprouvant seulement ressentiment et colère. Il pensait encore disposer de moyens qui lui permettraient de découvrir l'identité de la complice de Hathall. Il déléguerait ses pouvoirs à Burden et Martin, lesquels opéreraient plus discrètement. Des hommes rechercheraient les employées figurant sur la liste qu'on lui avait remise chez *Kidd*. Hathall était coupable, donc il finirait par être confondu.

Mais le policier était en proie au découragement. En revenant de Kingsmarkham, il avait envisagé de téléphoner à Nancy Lake, profitant de l'absence de Dora, mais à présent, même l'éventualité d'un innocent dîner en compagnie de Nancy avait perdu tout attrait. Il ne téléphona pas non plus à Howard. Il passa le week-end en solitaire, fulminant contre la chance de Hathall et se reprochant la façon dont il avait manœuvré avec un homme aussi susceptible.

L'ouvrage *Des hommes et des anges* fut renvoyé à son propriétaire avec un mot d'excuse pour l'avoir gardé si longtemps. Il ne reçut aucune réponse. Hathall devait se frotter les mains.

Le lundi matin, Wexford retourna à l'usine de Toxborough, et Mr Aveney parut content de le voir. Ceux qui ne risquent pas d'être incriminés prennent ordinairement un vertueux plaisir à participer à une enquête policière. Malheureusement, il ne pouvait pas être d'un grand secours.

— D'autres femmes que Mr Hathall aurait pu rencontrer ici ? Je ne vois vraiment pas qui.

— Je pensais aux représentants de commerce féminins. Il faut bien des représentants pour vendre des jouets ?

— Les nôtres dépendent du bureau de Londres et ne comptent qu'une seule femme parmi eux. Il ne l'a jamais rencontrée. Et, au sujet des noms des employées que je vous ai donnés, pas de résultat ?

— Pas jusqu'ici.

— Vous n'en tirerez sûrement rien. Il ne reste plus que les femmes de ménage. Une seule d'entre elles est employée chez nous depuis des années, mais elle a soixante-deux ans. Bien sûr, deux filles la secondent mais elles changent tout le temps, comme le reste du personnel. Je ne les vois jamais et il en était de même pour Hathall. Il n'en est qu'une dont le nom me reste en mémoire, parce que son honnêteté m'avait frappé. Un matin, elle était restée pour me remettre un billet d'une livre qu'elle avait trouvé sous un bureau. Voulez-vous la liste de leurs noms ?

— Non, merci, Mr Aveney. De toute évidence, elle ne me serait d'aucune utilité.

— Vous avez attrapé une *Hathall-ite* aiguë, dit Burden, deux semaines après la mort d'Angela.

— Ça fait penser à *amygdalite*.

— Je ne vous ai jamais connu si... ma foi, j'allais dire tête de cochon. Vous n'avez pas la moindre preuve qu'il soit sorti avec une autre femme et encore moins qu'il ait manigancé un meurtre avec elle.

— Et cette empreinte de main ? Et ces longs cheveux noirs ? Et cette femme aperçue dans la voiture d'Angela ?

— Le témoin *aura cru* qu'il s'agissait d'une femme. Combien de fois avons-nous aperçu quelqu'un de l'autre côté de la rue en étant incapables de préciser si c'était un homme ou une femme ? Vous dites toujours que la pomme d'Adam constitue le seul trait distinctif. Le témoin a-t-il remarqué la pomme d'Adam du passager ? Nous avons interrogé toutes les filles de la liste, sauf une qui est aux États-Unis et une autre qui se trouvait à l'hôpital le 19. La plupart d'entre elles ne se rappelaient même pas qui était Hathall.

— Quelle hypothèse avancez-vous alors ? Comment expliquez-vous cette empreinte de main sur la baignoire ?

— Eh bien, selon moi, c'est un type qui a tué Angela. Se sentant seule, elle l'avait ramené au cottage, comme vous l'avez tout d'abord dit. Il l'a étranglée, peut-être par accident, en essayant de lui arracher le collier. Pour quelle raison aurait-il lais-

sé des empreintes en touchant à quoi que ce soit ? Et
s'il l'a fait, il les aura effacées. Quant à la femme qui a
laissé l'empreinte, elle n'est pas dans le coup. Quelque automobiliste qui se sera arrêtée pour demander
à utiliser le téléphone...

— Et aussi la salle de bains ?

— Pourquoi pas ? Ces choses arrivent. Cette
femme n'est pas venue nous trouver parce qu'elle
ignore le nom de l'endroit où elle s'est arrêtée et celui
de la personne qui l'a reçue. Si ses empreintes ne sont
ni sur le combiné téléphonique ni nulle part ailleurs,
c'est parce qu'Angela nettoyait encore la maison.
Cette explication n'est-elle pas plus raisonnable que
votre idée de coup monté, qui n'a aucun fonde-
ment ?

L'explication plut à Griswold. Du coup, Wexford se
trouva chargé d'une enquête basée sur une hypothèse
à laquelle il ne croyait pas un seul instant. Il fut obligé
de donner son soutien à une battue organisée à
l'échelon national et destinée à retrouver une conductrice amnésique et un voleur qui aurait tué pour un
collier sans valeur. Les recherches furent vaines et ni
le voleur ni la conductrice ne prirent une forme plus
précise que les vagues silhouettes qu'avait esquissées
Burden. Cependant, Griswold, Burden et la presse en
parlèrent comme s'ils existaient. De plus, Robert Hathall — Wexford l'apprit de seconde main — avait fait
plusieurs suggestions utiles touchant les recherches et
le commissaire principal déclara ne pas comprendre
ce qui avait pu donner à croire que cet homme avait
la manie de la persécution ou mauvais caractère.
Maintenant que Wexford ne se trouvait plus en
contact direct avec lui, son attitude se révélait des
plus coopératives.

Wexford se dit qu'il aurait vite assez de toute
l'affaire. Les semaines passaient et aucun événement

nouveau ne se produisait. Au début, il est exaspérant de voir son point de vue écarté ou tourné en dérision puis, à mesure que de nouveaux sujets d'intérêt et de travail se présentent, cela s'atténue d'abord en contrariété puis se transforme en simple ennui. Après tout, des milliers d'affaires criminelles n'ont jamais été éclaircies. Le mieux était de considérer Hathall comme un casse-pieds irritant et dépourvu d'humour. Mais Wexford ne pouvait s'y résoudre. Il voulait savoir pourquoi il avait commis ce meurtre, comment, avec l'aide de qui. Ce qui le révoltait surtout, c'est qu'un homme capable de tuer sa femme soit jugé « très coopératif » par ceux-là mêmes qui auraient dû le confondre !

Il ne fallait cependant pas que cela tourne à l'obsession. Wexford était un homme raisonnable, équilibré, un policier ayant un travail à faire et non un justicier agissant pour une cause sacrée.

Fort de ces réflexions, il s'obligea à garder son calme quand Burden l'informa que Robert Hathall allait quitter Bury Cottage. Au lieu d'exploser, il se contenta de demander avec ironie :

— Je suppose qu'on me permettra de savoir où il va ?

Burden, que Griswold appréciait pour son tact, avait servi de lien avec Hathall pendant tout l'automne.

— Pour l'instant, il habite chez sa mère, et il parle d'acquérir un appartement à Hampstead.

— Le vendeur le roulera, dit Wexford avec amertume, ou on lui fera payer un loyer exorbitant pour son garage et quelqu'un édifiera une tour pour lui gâcher le paysage. Si bien qu'il sera très heureux.

— Je ne sais pas pourquoi vous le voyez si masochiste.

— Je le vois surtout criminel.

— Hathall n'a pas tué sa femme. Il a simplement des manies qui ne vous ont pas plu.

— Pourquoi ne pas dire carrément qu'il a des accès de folie ? Il est allergique aux empreintes digitales. Dites-lui en avoir trouvé sur sa baignoire et il pique une crise d'épilepsie !

— Vous n'allez tout de même pas appeler cela une preuve ? demanda Burden froidement.

L'idée que Hathall allait commencer la nouvelle vie pour laquelle il avait tué tourmentait l'inspecteur principal. Il se reprochait d'avoir mal mené l'enquête. Il avait tout gâché en se montrant brutal avec un homme auquel il ne convenait pas d'appliquer un tel traitement. Et maintenant, il ne pouvait plus rien faire, Hathall était devenu intouchable. Etait-ce utile de connaître son adresse à Londres ? Si on lui avait défendu d'interroger Hathall à Kingsmarkham, quelle chance avait-il d'arriver à un meilleur résultat dans la capitale ?

Sa fierté l'empêcha de demander à Burden des nouvelles de Hathall et son collègue ne lui en donna pas. Mais un jour de printemps, alors qu'ils déjeunaient ensemble au *Carousel*, l'inspecteur laissa échapper dans la conversation la nouvelle adresse de Hathall.

— Tiens, maintenant il m'informe, dit Wexford en faisant semblant de s'adresser à la bouteille de sauce tomate.

— Il ne semble pas y avoir de raison pour que vous ne soyez pas au courant.

— Avez-vous reçu l'agrément préalable du ministre de l'Intérieur ?

Connaître la nouvelle adresse de Robert ne l'avançait guère et Wexford s'apprêtait à laisser tomber le sujet, sachant que s'il en discutait avec Burden, cela provoquerait de la gêne entre eux. Ce fut l'autre qui insista. Peut-être n'avait-il pas apprécié la remarque sur le ministre de l'Intérieur ou, plus probablement, craignait-il que la chose ne prît trop de relief s'il la laissait sans commentaire.

— J'ai toujours pensé que votre thèse comportait une lacune majeure. Si Hathall avait eu une complice avec cette cicatrice, il aurait insisté pour qu'elle porte des gants. En effet, si elle laissait une seule empreinte, Hathall se trouverait dans l'impossibilité de vivre avec elle, de l'épouser ou même de la revoir. Or, vous dites qu'il a tué Angela dans ce but. Donc votre thèse ne tient pas. C'est simple quand on y réfléchit.

Wexford ne répondit pas mais, ce soir-là, en rentrant chez lui, il étudia une carte de Londres, donna un coup de téléphone et médita un moment sur le dernier relevé de son compte en banque.

Les Fortune étaient venus passer le week-end. On-cle et neveu descendaient Wood Lane à pied. Ils s'arrêtèrent devant le cottage qui n'avait pas encore de nouveau locataire. L'arbre aux *merveilles* était chargé de fleurs blanches et, derrière la maison, de jeunes agneaux paissaient sur le coteau au sommet couronné d'un bouquet d'arbres.

— Hathall ne devait pas aimer les moutons pour avoir déménagé aussi loin, plaisanta Wexford. Il habite à West Hampstead, Darmeet Avenue. Tu connais ?

— Oui. C'est entre Finchley Road et West End Lane. Pourquoi a-t-il choisi Hampstead ?

— Justement parce que c'est le plus loin possible du sud de Londres où sa mère, son ex-épouse et sa fille demeurent.

Il abaissa une branche du mirabellier et en huma le délicat parfum de miel. Quand il lâcha la branche, elle sema des pétales sur l'herbe. Wexford reprit, songeur :

— Il semble mener une vie de célibataire. La seule femme en compagnie de laquelle il ait été vu est sa mère.

Howard parut intrigué.

— Tu veux dire que... tu le fais filer par quelqu'un ?

— Comme espion il n'est pas terrible mais c'est tout ce que j'ai trouvé. Il s'agit du frère d'un de mes vieux « clients », Monkey Matthews. On l'a surnommé Ginger à cause de ses cheveux roux. Il vit à Kilburn.

— Que fait ce Ginger ? demanda Howard en souriant. Il piste Hathall ?

— Disons qu'il le tient à l'œil. Je le paie pour cela. De ma poche, naturellement.

— Je ne me doutais pas que tu étais sérieux à ce point.

— Je ne crois pas avoir jamais pris une affaire aussi à cœur que celle-ci.

Ils s'éloignèrent. Un petit vent glacial s'était levé. Jetant un regard vers le tunnel de haies qui commençaient déjà à verdir, Howard s'enquit posément :

— Qu'espères-tu, Reg ?

Son oncle ne répondit pas tout de suite. Ils passèrent devant la villa de Nancy Lake. Wexford était tellement absorbé dans ses pensées que son neveu crut qu'il avait oublié la question. Mais en arrivant à la route de Stowerton, il dit :

— Je me suis longtemps demandé pourquoi Hathall a été tellement horrifié — le mot n'est pas trop fort — quand je lui ai parlé de l'empreinte de la main. C'est parce qu'il ne voulait pas que l'on retrouve cette femme, bien sûr. Mais une fois ressaisi, il laissa paraître autre chose que de la peur : une sorte de terrible chagrin. J'ai fini par en conclure que s'il avait eu une telle réaction, c'est parce qu'il avait fait tuer Angela pour justement pouvoir vivre avec cette autre femme. Et brusquement, il se rendait compte qu'il n'oserait jamais plus la revoir... Ensuite, il a réfléchi. Il a écrit cette lettre de protestation à Griswold pour se débarrasser de moi, car il savait que je savais. Il a réfléchi aussi qu'il lui serait encore possible de s'en tirer et de vivre avec cette femme. Pas comme il l'avait projeté : le déménagement à Londres, les liens d'amitié qui se nouent quelques semaines plus tard entre le veuf solitaire cherchant une consolation et une jolie femme de rencontre, puis le mariage. De cela, plus question. Bien qu'il eût réussi à abuser Griswold, il ne pouvait pas se permettre désormais de courir le risque d'épouser une femme pouvant à tout instant être trahie par cette cicatrice.

— Que peut-il donc faire ?

— L'alternative est la suivante : la femme et lui se séparent d'un commun accord. Quelle que soit la force d'un amour, on peut encore lui préférer la liberté.

— Autrement dit : serrons-nous la main et adieu pour toujours ?

— Oui, et c'est peut-être ce qui s'est passé. Ou bien alors, ils ont décidé de se rencontrer clandestinement, de continuer leur liaison comme s'ils avaient chacun un conjoint jaloux et soupçonneux. Jusqu'à ce que l'affaire tombe dans l'oubli ou qu'ils trouvent une autre solution. Je pense que c'est ce qu'ils font, Howard. Sinon, pour quelle raison aurait-il choisi d'aller vivre dans un quartier où il ne connaît personne ? Pourquoi pas du côté de chez sa mère et de sa fille ? Ou plus près de son travail ? Il a un bon salaire, maintenant. Il aurait même pu trouver à se loger au centre de Londres. S'il est parti se cacher aussi loin, c'est pour pouvoir *la* rejoindre en douce, le soir. Je vais tenter de la retrouver... Ça me coûtera de l'argent et ça me prendra du temps, mais je veux quand même essayer.

XII

En décrivant Ginger Matthews comme un espion de peu d'envergure, Wexford l'avait sous-estimé. Les faibles ressources dont il disposait le rendaient amer et injuste. Beaucoup de choses l'irritaient chez Ginger. Sa répugnance à utiliser le téléphone, par exemple. Ginger était fier de son style, calqué sur le langage des très jeunes inspecteurs appelés à témoigner à la barre. Dans ses rapports, son client n'allait jamais nulle part, mais *s'y dirigeait* ; sa maison était *son domicile*, qu'il *regagnait* ou *réintégrait* au lieu de tout bonnement rentrer chez lui. Cependant, Wexford devait reconnaître en toute honnêteté que, s'il n'avait pas appris grand-chose sur l'insaisissable femme au cours de ces derniers mois, il avait par contre énormément appris sur la façon de vivre de Robert.

Selon Ginger, Hathall logeait dans une maison à trois étages de l'époque edwardienne et garait sa voiture dans la rue. Par économie ou impossibilité de trouver un garage ? Ginger n'aurait su le dire. Hathall partait au travail le matin à 9 heures soit à pied, soit en prenant le bus de West End Green, jusqu'au métro de West Hampstead. De là, il prenait la ligne de Bakerloo jusqu'à Piccadilly. Il rentrait peu après 18 heures. Ginger, posté dans une cabine téléphonique située en face du 62 Darmeet Avenue, l'avait souvent vu repartir le soir en voiture. Il lui était facile de savoir si Hathall était chez lui le soir car, dans ce cas, une fenêtre du deuxième étage restait éclairée. Il ne l'avait jamais vu accompagné que par une vieille dame, dont la description correspondait à Mrs Hathall. Il l'avait amenée en voiture chez lui un samedi après-midi Mère et fils s'étaient querellés sur le trottoir.

Ginger n'avait pas de voiture. Il n'avait pas non plus de travail, mais la petite somme d'argent que Wexford pouvait lui donner ne valait pas qu'il consacre plus d'un soir et un samedi ou un dimanche après-midi à surveiller Robert Hathall. Celui-ci aurait pu facilement amener sa complice chez lui sans que Wexford en fût informé. Et pourtant, le policier ne désespérait pas. Un jour, qui sait... Il lui arrivait de rêver de Hathall et il le voyait soit en compagnie de la mystérieuse inconnue à la cicatrice, soit seul, debout près de la cheminée à Bury Cottage, paralysé par la peur, le choc et aussi... oui, le chagrin.

Dans l'après-midi du samedi 15 juin, à 15 h 5, le suspect a été aperçu se dirigeant de son domicile, 62 Darmeet Avenue, vers le supermarché de West End Lane pour y faire des achats.

Wexford émit un juron. Les rapports étaient presque tous pareils. Et quelle preuve avait-il que ce Ginger se trouvait effectivement là le samedi 15 juin dans l'après-midi ? Naturellement, ce n'est pas Ginger qui dirait le contraire, puisque chaque filature lui rapportait une livre dix pence. Juillet vint, et puis août, et Hathall, toujours selon Ginger, continuait de mener une vie simple et régulière, se rendant le matin au travail, rentrant chaque soir, faisant ses courses le samedi, et, de temps à autre, allant faire un tour en voiture après dîner. Mais pouvait-on se fier à Ginger ?

On le pouvait jusqu'à un certain point. Un rapport reçu par Wexford en septembre, juste avant l'anniversaire de la mort d'Angela, le prouva.

Il y a lieu de croire, écrivait Ginger, *que le suspect s'est défait de son automobile, celle-ci ayant disparu de ses lieux de stationnement habituels. Dans la soirée du jeudi 10 septembre, le suspect a regagné son domicile à 18 h 10 et est reparti à 18 h 50 pour prendre le bus 28 à West End Green.*

Y avait-il quelque chose d'intéressant dans ce fait ? Hathall avait largement de quoi entretenir une voiture avec son salaire et s'il s'en était débarrassé, c'était peut-être à cause des difficultés croissantes qu'il rencontrait à la garer dans la rue. C'était tout de même une bonne chose car on pouvait maintenant le prendre en filature.

L'inspecteur principal n'écrivait jamais à Ginger. C'était trop risqué. Le petit espion à la tête rousse eût pu être tenté de faire du chantage et si une lettre était tombée entre les mains de Griswold... Wexford lui adressait ses gages en billets de banque dans une enveloppe ordinaire et s'il avait à lui parler — ce qui était rare, vu l'indigence des nouvelles —, il pouvait toujours le rencontrer entre midi et 13 heures dans un pub, *The Countess of Castlemaine*. C'est ce qu'il fit le lendemain.

— Le suivre dans ce fichu 28 ? dit Ginger avec inquiétude.

— Pourquoi pas ? Il ne vous a jamais vu, n'est-ce pas ?

— Peut-être que si. Il n'est pas facile de filer un mec dans ce foutu bus.

Le style parlé de Ginger était bien différent de son style écrit.

— S'il monte à l'impériale, dites, et que je sois en bas, ou vice-versa...

— Faux problème : vous n'avez qu'à vous asseoir derrière lui, que ce soit en haut ou en bas !

96

Ginger ne semblait pas juger cela tellement simple mais consentit à essayer. L'inspecteur ne sut pas si l'essai avait été fait ou non car le rapport suivant ne comportait aucune allusion au bus. Mais plus il étudia ce rapport plus il le trouva intéressant.

Me trouvant au voisinage de Darmeet Avenue NW 6 à 15 heures le 26 courant, je pris sur moi d'enquêter au domicile du suspect. J'eus une conversation avec son logeur à qui je me présentai comme étant fonctionnaire des impôts locaux. Je me renseignai sur le nombre d'appartements et fus informé que l'immeuble ne comportait que des chambres individuelles, meublées.

Ce qui sidéra Wexford, c'est que Hathall fût locataire en meublé et, qui plus est, locataire d'une unique chambre. Etrange, très étrange. Il aurait pu acheter un appartement en demandant un prêt hypothécaire. Pour quel motif ne l'avait-il pas fait ? Parce qu'il n'avait pas l'intention d'être domicilié en permanence à Londres ? Ou pour utiliser ses revenus à d'autres fins ? Les deux, peut-être. Pour l'inspecteur principal, ce renseignement constituait le fait le plus singulier qu'il eût jusqu'ici découvert dans la nouvelle vie de Hathall. Aussi exorbitants que fussent les loyers à Londres, il ne devait guère payer plus de quinze livres par semaine pour une chambre. Or, toutes retenues effectuées, il devait en gagner une soixantaine. N'ayant que Howard pour confident, c'est à lui que Wexford en parla au téléphone.

— Tu penses qu'il entretient quelqu'un d'autre ?

— J'en ai bien l'impression, répondit Wexford.

— Hum ! Disons quinze livres par semaine pour lui et quinze pour elle pour le logement... et si elle ne travaille pas, il doit aussi la nourrir.

— Bon sang ! Si tu savais ce que c'est bon pour moi d'entendre parler d'elle comme d'un être de chair ! Tu crois donc qu'elle existe ?

— Ce n'est pas un fantôme qui a laissé cette empreinte, Reg. Elle existe.

A Kingsmarkham, toute recherche avait été abandonnée. Griswold avait raconté à la presse des âneries — selon l'expression de Wexford — pour donner à croire que l'enquête se poursuivait, mais elle était close. La déclaration n'était destinée qu'à sauver la face. Mark Somerset avait loué Bury Cottage à un couple de jeunes Américains professeurs d'économie politique à l'université. Ils avaient nettoyé le jardin et les mirabelles avaient été cueillies. Wexford ne sut jamais si Nancy Lake en avait fait des confitures car il ne l'avait plus revue depuis le jour où on lui avait ordonné de laisser Robert Hathall tranquille.

Ginger ne donna pas de nouvelles pendant quinze jours. Finalement Wexford lui téléphona au pub et apprit ainsi que *le suspect* était resté chez lui. Ginger lui promit d'être de surveillance ce soir-là et le samedi après-midi. Le lundi suivant, son rapport arriva. Hathall avait fait des courses le samedi comme d'habitude mais, la veille, il s'était rendu à pied à l'arrêt du bus de West End Green vers 19 heures. Ginger l'avait suivi mais, rendu prudent par les regards soupçonneux que Robert lançait derrière lui, il avait renoncé à prendre le bus qui partit à 19 h 30. Wexford jeta la feuille dans la corbeille à papiers. Il ne manquait plus que Hathall repère Ginger. Ce serait le bouquet !

Une autre semaine s'écoula, un autre rapport arriva. Wexford fut sur le point de le jeter sans le lire, sentant qu'il ne pourrait supporter une nouvelle fois le compte rendu des courses de Robert dans les magasins le samedi. Il l'ouvrit néanmoins. Le sempiternel bla-bla sur la visite au supermarché y était, mais Ginger avait ajouté négligemment une ligne pour l'informer que, son marché terminé, Hathall était allé dans une agence de voyages.

— L'agence où il est entré est la *Sudamerica Tours*, Howard. Ce trouillard de Ginger n'a pas osé le suivre à l'intérieur.

La voix de Howard résonna à son oreille.

— Toi, tu penses ce que je pense.

— Bien sûr. Il cherche quelque coin où nous n'ayons pas d'accord d'extradition. Il a dû lire l'histoire des pilleurs de trains, qui lui aura donné cette idée. Ces sacrés journaux font plus de mal que de bien.

— Faut-il qu'il soit mort de peur, pour être prêt à s'expatrier au Brésil ou ailleurs ! Comment vivra-t-il, là-bas ?

— Comme les oiseaux, mon cher neveu. Dis, accepterais-tu de faire quelque chose pour moi ? Ce serait de te rendre chez *Marcus Flower* pour tâcher de savoir si ce sont eux qui l'envoient à l'étranger. Je n'ose pas y aller moi-même.

— J'oserai pour toi. Mais si c'est le cas, ils ont dû organiser son voyage et le payer. Alors, à quoi bon l'agence ?

— Mais ils ne paieraient pas aussi le voyage de sa petite amie.

— Très juste ! Je ferai de mon mieux et je te rappellerai ce soir.

Etait-ce pour payer le voyage de sa complice que Hathall avait vécu si économiquement ?

« Un travail doit l'attendre là-bas, ou bien il est très anxieux de se mettre à l'abri, se dit-il. Dans ce cas, il lui faut de l'argent. »

Il se rappela avoir vu dans le *Kingsmarkham Courier*, ce matin-là, une publicité pour les voyages. Il l'extirpa d'une pile de journaux et regarda en dernière page. Un aller retour pour Rio de Janeiro coûtait trois cent cinquante livres. Il fallait compter un peu plus pour deux allers simples. Voilà pourquoi Hathall mettait de l'argent de côté...

Wexford allait reposer le journal quand un nom attira son attention dans la rubrique nécrologique : Somerset !... *Le 15 octobre est décédée à Church House, Old Myringham, Gwendolen Mary Somerset, épouse bien-aimée de Mark Somerset. Les obsèques auront lieu en l'église Saint-Luc, le 22 octobre. N'envoyez pas de fleurs, mais adressez vos dons à l'hospice pour les incurables, à Stowerton.*

Cette femme exigeante à l'humeur chagrine était finalement morte. *Épouse bien-aimée.* Elle l'avait peut-être été, mais plus probablement ne s'agissait-il que d'une formule si usée et automatique qu'on ne pouvait parler d'hypocrisie. Wexford eut un sourire teinté d'ironie puis oublia l'article. Aucun délit d'importance n'étant signalé, il rentra tôt chez lui ce soir-là, et attendit le coup de fil de Howard.

Le téléphone sonna à 7 heures, mais c'était sa fille cadette, Sheila, laquelle bavarda pendant vingt bonnes minutes avec sa mère. Après quoi, Wexford attendit jusqu'à 10 heures, puis composa le numéro de son neveu, sans succès.

— Ce zèbre doit être encore sorti, dit-il avec humeur à sa femme. Je trouve qu'il exagère.

— Mais pour quelle raison ne sortirait-il pas le soir ? Il travaille assez dans la journée.

— Et moi, est-ce que je ne travaille pas ? Je ne vais pas pour autant me balader le soir.

— Si tu le faisais, tu serais plus détendu ! répliqua Dora.

À 11 heures, Wexford rappela. N'obtenant toujours pas de réponse, il se mit au lit. Rien d'étonnant dans ces conditions qu'il rêvât de Robert Hathall. Il se

100

trouvait dans un aéroport. Un Boeing était prêt à décoller, mais la porte se rouvrit puis apparurent en haut de la passerelle, saluant gracieusement la foule, tel un couple royal, Hathall et une femme. Celle-ci leva la main en un geste d'adieu et Wexford y vit une vilaine cicatrice rouge en forme de L. Le temps qu'il se précipite vers la passerelle, cette dernière avait été enlevée, le couple avait disparu et l'avion décollait.

Pourquoi, en vieillissant, a-t-on tendance à se réveiller à 5 heures du matin, sans plus pouvoir se rendormir ? Cela a-t-il un rapport avec le taux élevé de sucre dans le sang ? En fin de compte, Wexford se leva à 6 heures et demie, puis prépara son petit déjeuner. Il ne pouvait téléphoner à son neveu avant 8 heures. Il porta une tasse de café à Dora et partit travailler. A cette heure-là, Howard devait rouler vers Kenbourne Vale. Le policier commençait à se sentir ulcéré. Certes, Howard avait écouté avec sympathie tous les propos qu'il lui avait tenus sur cette affaire, mais qu'en pensait-il ? Considérait-il que c'était là une lubie d'homme vieillissant ? Peut-être ne l'avait-il écouté que pour lui faire plaisir et ne se rendrait-il chez *Marcus Flower* que lorsqu'il aurait terminé ce qu'il avait à faire.

Finalement, Wexford reçut le coup de fil à midi dix.

— J'ai essayé de te joindre avant de quitter la maison, mais tu étais déjà parti. Je n'ai pas eu un moment à moi depuis, Reg.

— Tu m'avais promis de m'appeler hier soir.

— Je l'ai fait. A 7 heures. Mais ta ligne était occupée. Après je n'ai pas pu. Denise et moi sommes allés au cinéma.

Le ton enjoué sur lequel il avait dit cela fit exploser Wexford.

— Charmant ! glapit-il. J'espère que les gens assis derrière vous ont bavardé durant tout le film, que ceux de devant se sont querellés et qu'on vous a bombardés du balcon avec des pelures d'oranges. Et mon type ? Et mon agence de voyages ? Quoi de neuf ?

— Oh ! ça...

Wexford eût juré avoir entendu un bâillement à l'autre bout du fil.

— Il quitte *Marcus Flower*. Il a donné sa démission. Je n'ai pas pu en savoir davantage.

— Merci infiniment. C'est tout ?

Howard riait franchement à présent.

— Oh ! Reg, c'est mal de ma part de te tenir ainsi sur le gril !... Non, ce n'est pas tout. Je l'ai vu.

— Tu veux dire que tu as parlé à Hathall ?

— Non. Je l'ai vu. Avec une femme... Je l'ai vu en compagnie d'une femme, Reg !

XIII

— C'est drôle, hein, je t'avais dit que je ne pensais pas avoir à l'identifier ? Et c'est pourtant ce que j'ai fait hier soir. Ecoute comment cela est arrivé.

La veille, Howard avait donc essayé d'appeler son oncle à 7 heures mais la ligne était occupée. N'ayant que des nouvelles négatives à donner, il décida de ne rappeler que le lendemain matin, car le temps pressait. Denise et lui devaient en effet dîner dans le West End avant d'assister à la projection d'un film au *Curzon*. Howard gara sa voiture à l'angle de Curzon Street et de Half Moon Street. Ayant quelques minutes à perdre, la curiosité le poussa à aller jeter un coup d'œil aux bureaux de la *Marcus Flower* tout voisins. Denise et lui s'approchaient donc de l'immeuble de la firme quand ils virent un couple s'y diriger aussi mais venant de la direction opposée. L'homme n'était autre que Robert Hathall

Le couple s'arrêta devant la porte vitrée pour regarder à l'intérieur. Hathall semblait montrer à sa compagne les splendeurs de l'endroit où il travaillait. La femme était de taille moyenne, plutôt jolie, avec des cheveux blonds coupés très court. Howard lui donnait dans les trente ans.

— Ne serait-ce pas une perruque qu'elle portait ?

— Non, mais ce n'était peut-être pas sa couleur naturelle. Je n'ai pas vu sa main. Ils bavardaient d'une manière qui m'a paru tendre. Au bout d'un moment, ils sont partis en direction de Piccadilly. Du coup, je n'ai pris aucun plaisir au film. Je n'arrivais pas à me concentrer.

— Eh bien, c'est comme je le pensais ! Ils ne se seront pas dit adieu. Maintenant, on la retrouvera. Ce n'est plus qu'une question de temps.

Le lendemain, Wexford avait son jour de repos. Le train de 10 h 30 le déposa à Victoria peu avant 11 h 30 et à midi, il était à Kilburn.

Quelle lubie romantique avait fait donner à ce pub sordide de l'époque victorienne le nom de la maîtresse de Charles II, la comtesse de Castlemaine ? Perché sur un tabouret au bar, Ginger Matthews semblait engagé dans une conversation sérieuse avec le barman irlandais. En apercevant Wexford, ses yeux s'agrandirent ou plus précisément, un œil s'agrandit. L'autre était à demi fermé, tuméfié et cerné de bleu.

— Prenez votre verre, dit Wexford et asseyez-vous à une table. Puis-je avoir un verre de vin blanc, s'il vous plaît ?

— Vous voyez mon œil ?

— Evidemment que je le vois ! Que diable vous êtes-vous fait ? Vous avez rencontré le poing de votre femme ?

— Très drôle ! Je vais vous dire qui m'a fait ça : ce fichu Hathall, la nuit dernière, alors que je le suivais jusqu'à l'arrêt du 28.

— Vous voulez dire qu'il vous a repéré ?

— Merci de votre compassion !

Le petit visage rond s'empourpra au point de devenir aussi rouge que sa tignasse.

— C'était inévitable qu'il me repère tôt ou tard à cause de mes cheveux. Sans cela, il n'avait aucune raison de se retourner et de me cogner dedans.

— Désolé pour votre œil mais ce n'est pas grave. Vous allez devoir vous montrer plus prudent.

— Je ne retournerai pas là-bas.

— N'en parlons plus pour l'instant. Laissez-moi vous offrir un de ces... comment les appelez-vous ?

— Vous demandez une demi-pinte de bière avec un double Pernod dedans.

Puis Ginger ajouta fièrement et avec plus de chaleur :

— Moi, j'appelle ça un *démon-roi* !

La mixture avait une odeur peu engageante. Wexford alla se chercher un autre verre de vin blanc.

— Et maintenant, dites-moi où va ce bus 28.

Ginger avala une lampée de son *démon-roi* et débita à toute vitesse : Golders Green, Child's Hill, Fortune Green, West End Lane, West Hampstead Station, Quex Road, Kilburn High Road...

— Je ne connais aucun de ces endroits. Où est le terminus ?

— Wandsworth Bridge.

Déçu par cette révélation, Wexford dit :

— Il va voir sa mère à Balham. Il doit y avoir un arrêt à proximité de Balham.

— Écoutez, Mr Wexford, vous ne connaissez pas Londres, vous me l'avez dit vous-même. Moi j'y vis depuis quinze ans et je peux vous dire que personne ne se rendrait à Balham par le 28. Il faut prendre le métro à West Hampstead et changer à Waterloo ou Elephant, direction la Northern Line. C'est l'évidence !

— Ginger, voulez-vous faire encore quelque chose pour moi ? Y a-t-il un pub près de l'arrêt de bus où vous l'avez vu prendre le 28 ?

— Juste en face, répondit Ginger, circonspect.

— Nous allons lui laisser une semaine. S'il ne porte pas plainte contre vous la semaine prochaine, nous saurons qu'il vous a peut-être pris pour un truand quelconque...

— Merci beaucoup !

— ... et n'a fait aucun rapprochement entre vous et moi, poursuivit Wexford, ignorant l'interruption, ou bien qu'il a trop peur d'attirer l'attention sur lui. Alors, dès lundi prochain, je veux que vous vous postiez dans ce pub tous les soirs à partir de 18 h 30 pendant une semaine. Notez simplement le nombre de fois qu'il prend ce bus. Vous n'aurez plus à le suivre et, par conséquent, vous ne courrez aucun risque.

— C'est ce que vous dites ! Voyez ce qu'il m'a fait. Qui s'occupera de ma satanée femme et de mes gosses s'il m'étrangle, moi aussi ?

— L'organisme qui les prend en charge en ce moment, rétorqua Wexford d'une voix doucereuse : la Sécurité sociale.

— Qu'est-ce que j'aurais si je le fais ?

— Une livre par jour et autant de... heu, *démons-rois* que vous pourrez ingurgiter.

Wexford attendit avec anxiété une nouvelle

convocation du commissaire principal mais n'en ayant pas reçu à la fin de la semaine, il sut que Hathall ne porterait pas plainte. Cela ne signifiait pas nécessairement qu'il avait pris Ginger pour un quelconque voyou. Cependant, une chose était certaine : quel que fût le résultat des observations de Ginger planqué dans son pub, le policier ne pourrait plus l'employer. Et il ne lui serait guère utile de savoir combien de fois Hathall avait pris le bus s'il ne trouvait personne pour le filer.

La situation étant calme à Kingsmarkham, personne ne trouverait à redire s'il prenait les quinze jours de vacances qui lui restaient. En règle générale, les gens qui prennent leurs vacances en hiver sont toujours bien vus de leurs collègues. Tout dépendait de Ginger. S'il se confirmait que Hathall empruntait régulièrement ce bus, Wexford prendrait ses congés et le suivrait en voiture. En dehors des heures de pointe, ce ne serait guère difficile. Et il était prêt à parier à dix contre un, voire à cent contre un que Hathall ne le repérerait pas. Personne dans un bus ne peut *voir* le conducteur d'une voiture qui suit. Si seulement il avait su quand Hathall se proposait de quitter *Marcus Flower* et le pays...

Wexford était certain qu'on ne retrouverait jamais l'arme du crime. Elle devait être au fond de la Tamise ou dans une décharge publique. Quand le jeune professeur américain d'économie politique, Mr Snyder, lui téléphona qu'un collier avait été trouvé par les ouvriers creusant dans le jardin de Bury Cottage et qu'il le prévenait sur le conseil de Mr Somerset, le policier se dit qu'il pourrait maintenant vaincre les scrupules de Griswold et confronter Hathall.

Il se rendit en voiture à Wood Lane et remarqua au passage l'écriteau *A vendre* devant la maison de Nancy Lake. Il s'engagea ensuite à pied dans l'allée de

Bury Cottage. Un chargement de pierres de Westmoreland formait un monticule dans un coin du jardin et une pelleteuse mécanique se trouvait près du garage. Griswold lui dirait-il qu'il aurait dû penser à le faire retourner ? Quand on recherche une arme, on ne retourne pas un jardin si l'on ne voit pas de terre fraîchement remuée. Lorsqu'ils avaient inspecté le jardin pouce par pouce, partout l'herbe y était haute. Alors comment Hathall ou sa complice avaient-ils pu enterrer le collier puis remettre la terre et l'herbe sans que cela se remarque ?

Mrs Snyder lui en donna l'explication.

— Il y avait une sorte de trou, ici. Mr Somerset a dit quelque chose au sujet d'une fosse d'aisance.

— On a installé le tout-à-l'égout dans ce coin de Kingsmarkham voilà vingt ans mais auparavant il y avait une fosse d'aisance, acquiesça Wexford.

— Pourquoi ne l'ont-ils pas enlevée ? demanda Mrs Snyder avec l'étonnement de quelqu'un habitué à plus d'hygiène et de confort. En tout cas, ce collier était dedans. La pelleteuse l'a ouverte. C'est ce qu'ont dit les ouvriers. Je n'ai pas regardé personnellement. Je ne veux pas avoir l'air de critiquer votre pays, capitaine, mais une chose pareille ! Une fosse d'aisance !

Extrêmement flatté par ce nouveau titre qui lui donnait l'impression d'être un officier, Wexford convint que ce système primitif d'égout n'était pas plaisant à regarder, puis il demanda où se trouvait le collier.

— Je l'ai lavé. Il est dans le placard de la cuisine.

Bah ! Cela n'avait aucune importance car, après une aussi longue immersion, toutes les empreintes devaient avoir disparu, à supposer qu'il y en ait eu ! Mais l'aspect du collier surprit Wexford. Il n'était pas composé de maillons comme on l'avait cru, mais était constitué d'une solide pièce de métal gris ayant perdu presque toute sa dorure. Il avait la forme d'un serpent dont la tête passait par une fente placée au-dessus de la queue. Wexford avait maintenant la réponse à quelque chose qui l'avait longtemps embarrassé. Ce collier ne risquait pas de casser comme une chaîne lorsqu'on tirait dessus. Tout ce que la complice de Robert Hathall avait eu à faire, c'était de se tenir derrière sa victime, de saisir la tête du serpent et de tirer...

Mais comment avait-il pu échouer dans la fosse désaffectée ? Le couvercle de métal qu'on avait placé sur cette dernière après qu'elle eut été vidée, avait été enfoui sous une couche de terre recouverte d'herbe. Les hommes de Wexford n'avaient même pas soupçonné son existence.

Il téléphona à Mark Somerset.

— Je crois pouvoir vous fournir une explication, dit celui-ci. Quand on a installé le tout-à-l'égout, mon père, par souci d'économie, y a fait relier seulement ce qu'on appelle l'*eau noire*. L'*eau grise*, c'est-à-dire celle des bains, des lavabos et de l'évier, continua de s'écouler dans la fosse. Bury Cottage étant légèrement en pente, l'eau ne débordait pas mais se perdait dans la terre plus loin.

— Voulez-vous dire que quelqu'un aurait pu jeter ce collier dans le tuyau de la baignoire ou d'un lavabo ?

— Pourquoi pas ? Il suffit d'ouvrir les robinets en grand pour que ça descende.

— Merci pour votre aide, Mr Somerset. A propos, je voudrais... euh... vous présenter mes condoléances.

Fût-ce un effet de son imagination, mais Somerset lui parut pour la première fois mal à l'aise.

— Oui, merci, murmura-t-il avant de raccrocher brusquement.

Quand il eut fait examiner le collier par les experts du laboratoire, Wexford demanda un rendez-vous au commissaire principal. Le vendredi après-midi, il se trouvait chez Griswold, dans une jolie maison de campagne située à Millerton, entre Myringham et Sewingsbury. Wexford avait surnommé le village *Millerton-les-Deux-Eglises*.

— Qu'est-ce qui vous donne à penser que c'est l'arme du crime ? lança Griswold en guise d'ouverture.

— C'est le seul genre de collier qui ait pu être utilisé. Une chaîne aurait cassé. Les gars du laboratoire disent que la dorure correspond aux parcelles découvertes sur le cou d'Angela. Bien entendu, ils ne sont pas catégoriques.

— Avez-vous quelque raison de croire que le collier n'était pas dans la fosse depuis vingt ans ?

— Non, mais je pourrais en avoir une, si on me permettait d'avoir un entretien avec Hathall.

— Il ne se trouvait pas sur les lieux du crime quand elle a été tuée.

— Sa maîtresse s'y trouvait.

— Où ? Quand ? Je suis censé être le commissaire principal de cette partie du Sussex. Pour quelle raison ne m'informe-t-on pas lorsque l'on découvre l'identité d'une complice ?

— Je n'ai pas exactement...

— Reg, coupa Griswold d'une voix qui commençait à trembler de colère, avez-vous davantage de preuves de la complicité de Hathall que vous n'en aviez voici quatorze mois ? Avez-vous une seule preuve tangible ?

Wexford hésita. Il ne pouvait avouer qu'il avait fait suivre Hathall et encore moins révéler que le surintendant chef Howard Fortune, son propre neveu, avait vu ce dernier avec une femme. Et puis le fait qu'il vivait chichement ou qu'il avait vendu sa voiture constituait-il une preuve ? Pouvait-on démontrer la culpabilité de Hathall en arguant qu'il vivait au nord-ouest de Londres ou qu'on l'avait aperçu dans le bus londonien ? Il y avait cette histoire d'Amérique du Sud, bien sûr. Wexford dut s'avouer que tout cela se réduisait à peu de choses. Il ne pouvait même pas prouver qu'on n'avait point offert à Hathall du travail en Amérique du Sud, ni qu'il s'était procuré une brochure concernant ce continent et encore moins un billet d'avion. Il avait tout simplement été vu dans une agence de voyages, et ce par un homme ayant des antécédents judiciaires.

— Non, répondit-il.

— La situation reste donc inchangée. Souvenez-vous-en.

XIV

Ginger fit ce qu'on lui avait demandé et, le vendredi 8 novembre, Wexford reçut qn rapport précisant qu'il s'était posté au pub tous les soirs et que deux fois, lundi et mercredi, Hathall s'était pointé à West End Green peu avant 7 heures pour prendre le bus 28. C'était déjà quelque chose. Ginger devait envoyer un autre rapport le lundi. Mais l'inattendu se produisit et il téléphona d'une cabine.

— Je pense que vous allez être content, déclara-t-il. Je l'ai vu avec une femme.

Wexford se contenta de demander quand et où.

— Vous m'aviez dit que je devais rester en semaine au pub et surveiller l'arrêt de bus. J'ai pensé

qu'il n'y aurait pas de mal à faire de même le dimanche. J'étais donc au pub hier, quand je l'ai vu. Il était
environ 13 heures et il pleuvait à verse. Notre suspect
portait un imper et se protégeait sous un parapluie.
Au lieu de s'arrêter pour prendre le bus, il a continué
tout droit vers West End Lane. Je ne l'ai pas suivi. Je
l'ai vu passer et c'est tout. Mais je me suis dit que je
ferais mieux de partir parce que la bourgeoise tient à
ce que l'on se mette à table à 13 h 30 pile. Je me suis
donc dirigé vers le métro...

— Quelle station ?

— West Hampstead. J'arrive là-bas et je mets une
pièce de cinq pence dans le distributeur, vu qu'il n'y a
qu'un arrêt jusqu'à Kilburn. C'est alors que je le vois
près du portillon. Il me tournait le dos, heureusement. Je me faufile en vitesse jusqu'à la marchande
de journaux et je reluque les magazines. Bien. La
rame vient d'entrer en gare. J'attends. Une vingtaine
de personnes montent les marches. Je n'ose pas me
retourner, ne voulant pas avoir un autre œil poché,
mais quand je crois la voie libre, je me retourne et
j'éprouve comme un choc. Il avait disparu. Je ressors
vite fait du métro. Il pleuvait des cordes. Mais devant
moi, qui j'aperçois ? Ce bon sang de Hathall avec sa
pépée. Ils marchaient serrés l'un contre l'autre, sous
son parapluie. Elle portait un ciré blanc, capuche
relevée. Je n'ai pas pu voir grand-chose d'elle, sauf
qu'elle portait une jupe longue. Alors je suis rentré
chez moi, et ma femme m'a passé un drôle de savon
parce que j'étais en retard.

— La vertu porte en soi sa propre récompense.

— Ça, je n'en sais trop rien, mais ce que je peux
vous dire, c'est que, entre ma paie et les *démons-rois*,
vous en avez pour quinze livres et soixante-trois
pence. C'est fou ce que la vie est chère, hein ?

« Inutile, songea l'inspecteur principal, de penser

aux moyens de suivre Hathall en bus. Il ne prend ce moyen de transport que jusqu'à la station de West Hampstead. Si dimanche il a préféré marcher, c'est parce qu'il avait un parapluie et les parapluies posent toujours un problème dans les bus. Il devrait désormais être possible de surprendre Hathall en compagnie de sa petite amie et de les suivre jusqu'à Darmeet Avenue. Heureusement que j'ai deux semaines de vacances ! »

La première chose que fit Wexford en ce premier jour de vacances fut de se familiariser avec la géographie d'une partie de Londres qu'il ne connaissait pas. Ce vendredi 22 novembre était une belle journée ensoleillée mais le froid était vif. Qu'avait-il de mieux à faire que de se rendre à West Hampstead avec le bus 28 ?

A mesure que le receveur criait d'une voix chantante : Church Street ! Notting Hill Gate ! Pembridge Road ! Wexford éprouvait un soulagement croissant.

Depuis Kilburn, le bus ne cessait de grimper et maintenant il cheminait dans l'étroite voie de West End Lane, jusqu'à ce qu'il arrive à West End Green où Wexford descendit. L'air était beaucoup plus respirable qu'à Chelsea. On ne sentait presque pas les gaz d'échappement. Wexford consulta son guide. Darmeet Avenue n'était qu'à quatre cents mètres à l'est, ce qui l'intrigua quelque peu. Hathall aurait pu se rendre à pied à la station de West Hampstead en cinq minutes. Pourquoi prendre le bus dans ce cas comme Ginger l'avait vu faire ? Peut-être n'aimait-il pas marcher ?

Le policier trouva facilement Darmeet Avenue, une rue en pente comme toutes celles du coin et bordée de jolies maisons en brique rouge. De grands arbres dépouillés bordaient les trottoirs.

Le numéro 62 avait un jardin tout en arbustes et mauvaises herbes. Dans l'entrée latérale se trouvaient trois poubelles en plastique. Wexford repéra la cabine téléphonique où Ginger s'était posté et se demanda laquelle des fenêtres était celle de Hathall. Gagnerait-il quelque chose à aller voir le logeur ? Non. Celui-ci ne manquerait pas de répéter à Hathall qu'on s'était renseigné sur lui, donnerait la description de l'inspecteur principal et cela risquait de mettre le feu aux poudres. Wexford fit donc demi-tour et revint à l'arrêt de West End Green en regardant autour de lui pour repérer des coins, des renfoncements, des arbres qui lui permettraient de se cacher s'il s'avisait de filer lui-même Hathall. La nuit tombait tôt en cette saison. Il décida de reprendre le 28.

Le bus descendait la rue juste au moment où Wexford arrivait à l'arrêt. Le service était régulier et fréquent. Il s'installa derrière le conducteur et se demanda si Hathall s'était jamais assis à cette même place, pour regarder par cette même vitre. De telles réflexions frisaient l'obsession, et il devait les écarter. Il lui fut cependant impossible de ne pas se demander pourquoi Hathall prenait le bus pour arriver là. Sa maîtresse prenait le métro quand elle se rendait chez lui. Peut-être n'aimait-il pas ce mode de transport et se bornait-il à l'emprunter pour aller au travail.

Dix minutes plus tard, Wexford arrivait à Kilburn. Ginger était assis sur son tabouret au comptoir du pub. Il tenait entre ses mains une chope de bière mais, en voyant son client, il se hâta de la vider.

Wexford commanda un *démon-roi* sans donner de précision et le barman comprit aussitôt.

— Ce fichu type vous fait marcher, hein ? lança Ginger en se dirigeant vers une table à l'écart. Vous ne voulez jamais déclarer forfait, vous. Un de ces jours, vous finirez dans un terrain vague.

— Ne soyez pas stupide, rétorqua Wexford à qui sa femme avait dit la même chose ce matin mais en termes plus choisis. Ce ne sera plus très long de toute façon.

— En ce qui me concerne, c'est fini, répondit Ginger. Vous m'avez mis sur cette affaire pour repérer ce mec avec une poule et je l'ai fait. Le reste vous concerne.

— Allons, Ginger, commença l'inspecteur sur un ton cajoleur, juste pour surveiller la station de métro, tandis que j'aurai l'œil sur la maison... Vous ne voulez pas me faire croire que vous êtes un dégonflé ?

Ginger hésita puis dit avec, dans la voix, comme un rien de honte :

— J'ai un boulot.

Wexford en resta bouche bée.

— Un *boulot* ? Vous voulez dire un travail payé ?

— Pas exactement moi... C'est ma femme qui a trouvé une place de barmaid. Le soir et le dimanche aux heures des repas. (Il ajouta d'un air gêné :) Je ne sais pas ce qui lui a pris.

— Je ne vois pas pour quelle raison cela vous empêche de travailler pour moi ?

— C'est à croire que vous n'avez jamais eu de famille ! Quelqu'un doit rester à la maison pour s'occuper des mioches, non ?

Wexford parvint à retenir son envie de pouffer jusqu'à ce qu'il fût dehors sur le trottoir. Rire lui fit du bien et effaça la contrariété provoquée par le refus de Ginger de coopérer.

« Je peux me débrouiller tout seul maintenant, songea-t-il en prenant une fois de plus le 28. Il me sera facile de surveiller de ma voiture la station de West Hampstead le dimanche. Avec un peu de chance,

Hathall retrouvera sa petite amie comme il l'a fait dimanche dernier et, une fois celle-ci repérée, quelle importance que l'autre sache avoir été suivi ? Qui oserait me reprocher d'avoir enfreint le règlement alors que ma désobéissance aura amené le succès de l'enquête ? »

Malheureusement Hathall ne retrouva pas la femme ce dimanche et à mesure que la semaine s'écoulait, Wexford s'étonnait de voir à quel point l'homme était insaisissable. Il se posta lui-même, chaque soir, à Darmeet Avenue mais sans jamais le voir. Il n'eut qu'une seule fois la preuve que la chambre du second était occupée. Le lundi, le mardi, et le mercredi, il fut là avant 18 heures et vit trois personnes pénétrer dans l'immeuble entre 18 et 19 heures. Aucune trace de Hathall... Le jeudi soir, Wexford, retenu dans un embouteillage, n'arriva à Darmeet Avenue qu'à 18 h 15. La pluie tombait sans arrêt et l'endroit était désert à l'exception d'un chat qui se glissa entre les poubelles pour disparaître dans un trou du mur du jardin. Une lumière éclairait une chambre du rez-de-chaussée et une lueur plus faible brillait à travers l'imposte au-dessus de la porte d'entrée. La fenêtre de Hathall était obscure mais lorsque l'inspecteur principal eut serré le frein à main et coupé le moteur, elle s'illumina brusquement. Hathall était arrivé une minute à peine avant lui. Il tira les rideaux, et le policier ne vit plus qu'un rais lumineux.

Une heure, deux heures passèrent sans que Hathall se manifeste. A 9 heures et demie, un petit homme âgé sortit de l'immeuble, débusqua le chat entre les herbes mouillées et le ramena à l'intérieur. Quand la porte d'entrée se referma sur lui, la lumière qui filtrait de la chambre de Hathall s'éteignit. Wexford commença à déplacer la voiture pour la mettre moins en évidence au cas où Hathall sortirait, mais la porte d'entrée demeura fermée et la fenêtre, obscure. Le policier comprit que son homme s'était couché de bonne heure.

Ayant ainsi amené Dora à passer des vacances à Londres, Wexford n'oublia pas ses devoirs envers elle et dans la journée il l'accompagna faire du lèche-vitrines dans le West End. Mais Denise étant plus qualifiée en la matière, le vendredi il abandonna son épouse et celle de son neveu pour une troisième femme.

La première chose qu'il vit en arrivant chez Eileen Hathall, ce fut la voiture de son ex-mari garée dans l'allée, celle-là même que Ginger disait être vendue depuis longtemps. Ginger se serait-il trompé ? Wexford continua de rouler jusqu'à la plus proche cabine d'où il téléphona chez *Marcus Flower*. Oui, Mr Hathall était bien là, lui répondit une voix féminine et s'il voulait patienter quelques instants... Wexford raccrocha et, cinq minutes plus tard, il se trouvait dans le salon d'Eileen Hathall.

— Bob a donné sa voiture à Rosemary, dit-elle en réponse à sa question. Ma fille le voit quelquefois chez sa grand-mère et quand elle lui a annoncé qu'elle avait passé son permis, il lui en a fait cadeau. Il n'en aura pas besoin là où il va, pas vrai ?

— Où va-t-il donc ?

— Au Brésil.

Elle avait craché le mot comme s'il s'agissait de quelque reptile répugnant. Wexford réprima un frisson, pressentant une mauvaise nouvelle qui ne tarda pas.

— Il a tout réglé pour partir l'avant-veille de Noël. Dans moins d'un mois...

— Il a trouvé du travail là-bas ?

— Oh ! oui, une très bonne situation dans une maison de comptabilité internationale.

Il y avait quelque chose de pathétique dans la fierté avec laquelle Eileen avait prononcé ces mots. L'homme la détestait, l'avait humiliée, ne la reverrait probablement plus et malgré cela, elle était fière de sa réussite.

— Si je vous disais combien il va gagner, vous ne le croiriez pas. Il l'a dit à Rosemary qui me l'a répété. Ma pension me sera versée directement de Londres, retenue sur sa paye, et il lui restera encore des milliers de livres par an. Sa firme a tout réglé : ils lui paient le voyage et une maison l'attend là-bas. Il n'a eu à s'occuper de rien.

Devait-il lui révéler que Robert n'irait pas seul là-bas, qu'il ne vivrait pas seul dans cette maison ? Elle avait encore grossi depuis qu'il l'avait vue, l'année précédente. Son corps épais était engoncé dans un lainage rose saumon. Elle avait le visage congestionné.

— Que cherchez-vous ? demanda-t-elle. Vous pensez qu'il a tué cette femme ?

— Et vous ? répliqua-t-il.

Le visage d'Eileen vira au cramoisi, comme si on l'avait giflée.

— Je souhaite qu'il l'ait fait.

Les veilles du vendredi et du samedi furent infructueuses. Dimanche lui apporterait peut-être ce qu'il désirait.

Le 1er décembre fut encore une journée de déluge mais, en l'occurrence, c'était plutôt une chance. Cela dégagerait les rues et Hathall serait moins tenté de plonger son regard dans une voiture qui lui paraîtrait suspecte. A midi et demi, Wexford se gara le plus près possible de la bouche de métro. Il ne voulait pas être repéré par Hathall ou risquer d'obstruer l'étroite rue. La pluie tambourinait sur le toit de la voiture et coulait à flots dans le caniveau. Wexford voyait assez bien l'entrée de la station et une bonne centaine de mètres de West End Lane.

Il était à présent si habitué à attendre, si résigné à guetter, qu'il éprouva un choc, quand, à 12 h 45, il aperçut au loin la silhouette de Robert Hathall. Le parapluie levé, il se dirigeait d'un pas vif vers la station de métro. Il dépassa la voiture sans tourner la tête, s'arrêta devant la station, ferma et ouvrit plusieurs fois le parapluie pour l'égoutter puis descendit les marches.

Wexford était embarrassé. Hathall allait-il au-devant de quelqu'un ou comptait-il prendre le métro ? En plein jour, même sous cette pluie, il n'osait pas quitter la voiture. Quelques personnes commencèrent à émerger de la bouche de métro. Un homme ouvrit un journal au-dessus de sa tête et se mit à courir ; un groupe de femmes s'agita, luttant avec des parapluies qui ne voulaient pas s'ouvrir. Finalement, ils cédèrent simultanément, un rouge, un bleu et un orange, pareils à des fleurs dans la grisaille. Lorsque les parapluies se dispersèrent, ils laissèrent voir ce qu'ils avaient jusqu'alors caché : un couple tournant le dos à la rue, un couple dont l'homme ouvrit un parapluie noir sous lequel ils se blottirent.

Elle portait des blue-jeans et, par-dessus, un ciré blanc au capuchon relevé. Wexford fut dans l'impossibilité d'entrevoir son visage. Ils s'éloignèrent à pied, mais un taxi libre survint auquel Hathall fit signe, et qui les emporta.

« Je vous en supplie, mon Dieu, pria Wexford, faites qu'ils aillent chez lui et non dans un restaurant ! »

Le policier savait n'avoir aucune chance de réussir

à suivre un taxi londonien. D'ailleurs, il avait disparu avant même que Wexford ne s'engage dans West End Lane.

Chemin faisant, Wexford se trouva bloqué derrière un bus qui arborait une publicité pour les jouets *Dinky*. Cela lui rappela *Kidd* de Toxborough. Près de dix minutes s'écoulèrent avant qu'il ne se range devant la maison de Darmeet Avenue. La chambre de Hathall était éclairée. Rien d'étonnant à ce qu'il eût allumé au milieu de la journée, avec un temps pareil ! Tout en se demandant si Hathall n'hésiterait pas à le frapper lui aussi, Wexford traversa le petit jardin pour aller regarder les sonnettes. Pas de noms près des boutons, rien que des numéros d'étage. Le policier appuya sur celui du second et attendit. Il était possible que Hathall ne bougeât pas, refusant tout bonnement de répondre. Dans ce cas, Wexford sonnerait ailleurs jusqu'à ce qu'on lui ouvre, puis il irait frapper à la porte même de Hathall.

Ce ne fut pas nécessaire. Entendant la fenêtre s'ouvrir au-dessus de sa tête, le policier recula, leva les yeux et vit Hathall. Pendant un instant, aucun d'eux ne parla. Ils se dévisagèrent à travers la pluie qui tombait. Les traits de Hathall trahirent une foule de sentiments : de l'étonnement, de la colère, de la méfiance, mais aucune peur, semblait-il à Wexford. Et, chose étrange, ils firent place à une sorte de satisfaction. Avant que Wexford pût faire des conjectures sur ce que cela signifiait, Hathall lui lança froidement :

— Je descends.

Quinze secondes plus tard il désignait l'escalier. Wexford ne l'avait jamais vu aussi calme. Il arborait un air triomphant.

— J'aimerais que vous me présentiez la dame que vous avez amenée ici en taxi.

Hathall ne tiqua point et n'ouvrit même pas la bouche. L'a-t-il cachée ? se demanda Wexford tandis qu'ils montaient l'escalier.

Hathall poussa la porte de la chambre et s'écarta pour laisser entrer le policier. La première chose que remarqua Wexford en entrant fut le ciré mis à sécher sur le dossier d'une chaise.

La pièce était très petite, pas plus de trois mètres soixante sur trois mètres, et meublée comme le sont toujours ces chambres. Il y avait une armoire, un lit étroit avec un couvre-lit en cotonnade indienne, quelques chaises et des tableaux peints sans nul doute par un parent du propriétaire. La lumière provenait d'un globe en plastique poussiéreux suspendu au plafond.

Un hideux rideau de toile bariolée fermait un coin de la pièce, dissimulant probablement un évier car, lorsque Robert toussota pour l'avertir, la femme écarta le rideau et sortit en s'essuyant les mains. Le visage très jeune aux traits lourds et empreints d'assurance n'était pas joli. Une épaisse chevelure noire lui tombait jusqu'aux épaules et elle avait des sourcils noirs et fournis comme ceux d'un homme. Wexford avait déjà vu ce visage quelque part et il cherchait à se rappeler où.

— Voilà la dame que vous désiriez rencontrer. Puis-je vous présenter ma fille Rosemary ?

XV

Certes, l'inspecteur principal avait l'habitude des situations fâcheuses mais le choc provoqué par la révélation de Hathall — s'ajoutant au fait que sa désobéissance serait maintenant connue — l'étourdit

120

comme un coup de massue. La jeune fille lui adressa un bref salut avant de retourner derrière le rideau où il l'entendit remplir une bouilloire.

Son père, qui s'était montré distant à l'arrivée de Wexford, semblait tirer un vif plaisir de la consternation de son adversaire.

— Quel est le but de cette visite ? Vous venez simplement revoir de vieilles connaissances ?

« Au point où j'en suis, je n'ai plus rien à perdre ! » se dit Wexford.

— Je crois savoir que vous vous rendez au Brésil. Seul ?

— Seul ? Non ; il y aura près de trois cents personnes dans l'avion. J'espérais que Rosemary m'accompagnerait mais il lui faut terminer ses études ici. Peut-être me rejoindra-t-elle là-bas dans quelques années.

La remarque fit revenir l'intéressée qui prit son ciré et le suspendit à un cintre en disant :

— Je ne connais même pas le continent. Alors, je ne vais pas aller m'enterrer au Brésil !

Hathall haussa les épaules devant cet exemple typique du mauvais caractère de sa famille, puis questionna avec brusquerie :

— Satisfait ?

— Il me faut bien l'être, n'est-ce pas, Mr Hathall ?

Etait-ce la présence de sa fille qui l'obligeait à rentrer sa colère ? Toujours est-il que Hathall avait tout juste un peu de mauvaise humeur dans la voix quand il déclara :

— Alors, si vous voulez nous excuser ? Rosemary et moi devons nous préparer à déjeuner, ce qui n'est pas facile dans une pièce aussi petite. Je vous raccompagne.

Le palier était dans l'obscurité. Le policier s'attendait à une explosion de fureur qui ne vint pas. Il sentait seulement que l'autre ne le quittait pas des yeux. Ils étaient en haut des marches et lorsque Wexford commença à descendre, il sentit un mouvement dans son dos. Il empoigna la rampe et sauta deux marches d'un coup puis s'obligea à descendre posément. Hathall ne bougea pas mais quand Wexford se retourna au bas de l'escalier, il vit la main levée en un geste à la fois d'adieu et de menace.

— Il allait me précipiter en bas des marches, dit Wexford à Howard. Et je n'aurais eu aucun recours contre lui. Il aurait prétendu que je m'étais introduit de force chez lui. Quel gâchis ! Il va porter plainte et je risque de perdre mon poste.

— Pas sans qu'il y ait une enquête approfondie. Je ne pense pas que Hathall ait envie de s'y soumettre.

Howard jeta le journal qu'il lisait puis se tourna vers son oncle :

— Il n'était pas chaque fois avec sa fille.

— Tu crois ? Je sais que tu as vu cette femme aux cheveux courts et blonds, mais es-tu sûr que c'était Hathall qui l'accompagnait ?

— J'en suis certain.

— Tu ne l'avais vu qu'une seule fois auparavant, insista Wexford. A vingt mètres de distance, l'espace de dix secondes, et d'une voiture que tu conduisais. Jurerais-tu devant un tribunal que l'homme qui se trouvait devant *Marcus Flower* est le même que celui que tu as vu dans le jardin de Bury Cottage ? Serais-tu prêt à le jurer si la vie d'un homme en dépendait ?

— La peine capitale n'existe plus chez nous, Reg.

— Ni toi ni moi ne souhaitons la voir rétablie. Mais si elle existait encore, le jurerais-tu ?

Howard hésita. Wexford en eut conscience et sentit la fatigue l'envahir. La moindre parcelle de doute suffirait à anéantir le peu d'espoir qui lui restait.

— Non, je ne le jurerais pas.

— Je vois...

— Une minute, Reg. Je n'en jurerais pas si cela devait conduire quelqu'un à la mort. Cependant, dans les limites d'un doute raisonnable, je suis certain d'avoir vu Robert Hathall devant les bureaux de *Marcus Flower*, Half Moon Street, en compagnie d'une jeune femme blonde.

Wexford soupira. Quelle différence cela faisait-il, en fin de compte ? Par sa propre maladresse, il avait rendu désormais impossible toute filature de Hathall. Howard, prenant son silence pour un doute, insista :

— S'il n'est plus avec elle, où va-t-il donc tous les soirs où il prend le bus ?

— Oh ! je crois toujours qu'il va la rejoindre. Sa fille ne vient le voir que quelquefois et seulement le dimanche. Mais à quoi cela me sert-il ? Je ne peux le suivre en bus. Il sera sur ses gardes, maintenant.

— Il peut aussi bien croire que le fait de l'avoir trouvé avec sa fille t'aura ôté toute envie d'insister.

— Peut-être... Et peut-être va-t-il maintenant se laisser aller à quelque imprudence...

— Quelqu'un d'autre doit le suivre à ta place.

— Facile à dire ! Mon commissaire principal est contre et tu ne vas pas t'opposer à lui en me donnant un de tes hommes.

— Non, bien sûr.

— Donc, nous ferions mieux de cesser d'en parler. Je vais retourner à Kingsmarkham où m'attend la grande symphonie Griswold en dièse majeur... et Hathall pourra filer vers les tropiques.

Howard se leva et lui posa une main sur l'épaule.

— C'est moi qui vais le prendre en filature, dit-il.

Le « *c'est moi qui* » proféré avec tant de spontanéité et de gentillesse réveilla les vieux sentiments d'infé-

123

riorité et d'envie. Wexford sentit le sang lui monter au visage.

— Toi ? dit-il d'une voix rauque. Tu plaisantes ? Tu oublies que tu es mon supérieur.

— Ne sois pas comme ça ! Et si ça m'amuse ? Il y a des années que je n'ai pas pris quelqu'un en filature !

— Tu ferais vraiment ça pour moi, Howard ? Mais... ton travail ?

— Ne crois-tu pas que j'aie quelque latitude quant à mes horaires de travail ? Bien sûr, je ne pourrai pas le faire tous les soirs. Il y aura des fois où je devrai rester tard au bureau. Mais ça me laisse sûrement la possibilité de te seconder dans cette affaire.

C'est ainsi que, le lendemain, le surintendant-chef Howard Fortune quitta son bureau à 17 h 45 et se posta à l'arrêt de West End Green à 18 heures. Il attendit jusqu'à 19 h 30. Comme le gibier ne se montrait pas, il poussa une pointe jusqu'à Darmeet Avenue pour constater que la chambre de Hathall n'était pas éclairée.

— Je me demande s'il ne va pas directement chez elle après le travail ? suggéra plus tard Wexford.

— Souhaitons que cela ne devienne pas une habitude, sinon il sera quasi impossible de le suivre à l'heure de pointe. Quand quitte-t-il définitivement son emploi ?

— Il part pour le Brésil dans trois semaines.

Le lendemain soir, Howard eut trop à faire pour s'occuper de Hathall, mais fut de nouveau libre le mercredi. Changeant alors de tactique, il alla se poster dans Half Moon Street dès 17 heures et, une heure plus tard, il racontait à son oncle ce qui s'était passé.

— Un type à l'air minable et la moustache taillée en brosse est sorti le premier de chez *Marcus Flower*. Il était avec une femme. Tous deux ont filé en Jaguar.

— Ce devait être Jason Marcus et sa fiancée.

— Puis ce fut le tour de deux autres filles et de... Hathall. Il s'est engouffré dans le métro et, là, je l'ai perdu. Mais il ne rentrait pas chez lui.

— Comment le sais-tu ?

S'il avait voulu retourner chez lui, il serait allé jusqu'à la station de Green Park, où il aurait pris soit la ligne de Piccadilly Circus, soit celle de Victoria. Or, il a pris le métro à Bond Street. Seule la ligne centrale passe à Bond Street.

— Et cette ligne mène où ?

— Vers l'est ou l'ouest. J'ai suivi Hathall à l'intérieur de la station mais tu as vu comment c'est aux heures de pointe ? De plus, je devais faire attention qu'il ne me remarque pas. Il a pris l'escalier roulant qui conduit au quai, direction ouest, et c'est là que je l'ai perdu.

Howard ajouta, pour s'excuser :

— Il y avait près de cinq cents personnes sur ce quai. J'étais coincé. Mais cela prouve au moins une chose... Tu vois ce que je veux dire ?

— Je crois, oui. Il nous faut trouver l'endroit où se croisent les trajets du bus 28 et de la ligne centrale en direction de l'ouest. C'est par là que vit notre inconnue.

— Je suis en mesure de te dire où sur-le-champ. La ligne centrale en direction de l'ouest passe par Bond Street, Marble Arch, Lancaster Gate, Queensway, Notting Hill Gate, Holland Park, Sheperd's Bush, etc. Le circuit du 28, quand il va vers le sud, passe par Golders Green, West Hampstead, Kilburn Park, Great Western Road, Pembridge Road, Notting Hill Gate, Church Steet, traverse Kensington et Fulham pour arriver ici et termine sa course à Wandsworth Bridge. Il doit donc s'agir de Notting Hill. Notre inconnue vit quelque part dans ce quartier extrêmement peuplé. Nous n'avons pas beaucoup progressé mais c'est mieux que rien. Et toi, où en es-tu ?

Wexford, sur les charbons ardents pendant deux jours, avait téléphoné à Burden, pensant s'entendre dire que Griswold réclamait sa tête, mais il n'en était rien. Le commissaire principal faisait la navette entre Kingsmarkham et Myringham où l'on s'inquiétait du sort d'une femme qui avait disparu. Il s'était cependant montré d'excellente humeur et avait voulu savoir où Wexford était parti passer ses vacances. Burden lui avait répondu que c'était à Londres à cause des musées et des théâtres. Sur ce, Griswold avait facétieusement demandé pourquoi l'inspecteur principal ne lui avait pas envoyé une carte postale de New Scotland Yard.

— Ainsi donc Hathall n'a pas porté plainte, remarqua pensivement Howard.

— Il a dû juger préférable de ne pas attirer l'attention sur lui.

Mais on était le 3 décembre... Plus que vingt jours.

Howard parut deviner ses pensées :

— Si seulement on pouvait le coincer pour quelque infraction...

— Qu'est-ce que tu entends par là ?

— Je ne sais trop... Si on pouvait l'accuser de quelque délit mineur, cela l'empêcherait de quitter le pays. Un vol à l'étalage par exemple, ou le fait de voyager sans ticket dans le métro.

— Il m'a trop l'air d'un honnête homme, remarqua Wexford en secouant la tête. Si tant est qu'on puisse dire d'un assassin qu'il est honnête !

— A-t-il seulement l'*air* honnête, ou l'est-il vraiment ?

— Pour autant que je sache, il l'est. S'il l'avait soupçonné de la moindre malhonnêteté, Butler me l'aurait dit.

126

— Oui, sans doute. Hathall était tranquille question argent à cette époque, mais ce n'était pas le cas quand il a épousé Angela, n'est-ce pas ? Et bien qu'ils n'aient disposé que de quinze livres par semaine pour vivre, ils se débrouillaient très bien. Tu m'as dit que Somerset les avait vus faire des achats puis dîner dans un bon restaurant. D'où leur venait cet argent, Reg ?

Wexford se versa un verre de chablis avant de répondre.

— Je me le suis demandé sans trouver de réponse. En outre, cela ne paraissait pas important.

— Tout est important dans une affaire de meurtre.

Wexford était trop reconnaissant à son neveu pour prendre en mauvaise part ce léger reproche.

— Je me suis dit que si un homme a toujours été honnête, il ne devient pas malhonnête du jour au lendemain.

— Cela dépend de l'individu. Ce Hathall s'est bien transformé d'un coup en mari infidèle. Mieux : lui qui était monogame depuis sa puberté, semble s'être métamorphosé en coureur de jupons. Et même en meurtrier. Pourtant, il n'avait sans doute encore jamais tué personne. Et il y a un élément dont tu n'as pas assez tenu compte dans cette affaire, Reg.

— Angela ?

— Oui, Angela. C'est après l'avoir rencontrée que Hathall a changé. Certains disent qu'elle l'a corrompu. Tu as peut-être une chance de ce côté. Angela a commis une petite escroquerie à la bibliothèque. Elle en a peut-être commis d'autres. Qui sait si elle ne l'aura pas poussé à quelque indélicatesse ?

— Ça me fait penser à quelque chose que m'a rapporté Butler. Il avait un jour entendu Angela dire à son associé, Paul Craig, qu'il était bien placé pour trafiquer sa feuille d'impôts.

— Nous y voilà ! Ils ont bien dû prendre l'argent quelque part. Il n'a pas poussé sur les arbres comme les mirabelles.

— S'il y a eu malhonnêteté, c'est chez *Kidd* qu'elle aura été commise. Or, Aveney ne m'a fait part d'aucun soupçon de ce côté.

— Parce que, sans doute, tu ne lui as pas parlé d'argent, mais de femmes... A ta place, j'irais demain faire un tour à Toxborough.

XVI

Wexford retrouva l'odeur chaude de cellulose et les femmes enturbannées peignant des poupées. Mr Aveney le conduisit à travers les ateliers jusqu'au bureau du directeur du personnel tout en disant d'un ton indigné :

— Trafiquer les livres de comptes ? Il ne s'est jamais rien passé de pareil ici.

— Je n'ai pas dit qu'ils ont été trafiqués, Mr Aveney. J'avance dans le noir. Avez-vous entendu parler du truc qui consiste à falsifier les feuilles de paie ?

— Ma foi, oui. Mais personne ne s'en tirerait s'il s'amusait à ce jeu-là chez nous.

— Allons vérifier, voulez-vous ?

John Oldbury, le directeur du personnel, était un jeune homme aux cheveux blonds et raides. Le plus grand désordre régnait dans son bureau et lui-même paraissait affolé comme s'il était en train de chercher quelque chose qu'il savait ne jamais pouvoir trouver.

— Truquer les feuilles de paie ? répéta-t-il en haussant les sourcils.

— Expliquez-moi comment se passe chez vous l'établissement des feuilles de paie.

Oldbury regarda Aveney. Celui-ci donna son accord d'un léger haussement d'épaules. Le chef du personnel s'assit et passa une main dans sa chevelure rebelle.

— Voilà : quand nous engageons une nouvelle employée, j'indique au comptable son nom, son adresse, quand elle commence, ses heures de travail, etc. Il alimente l'ordinateur avec ces données et voilà. Ensuite, je fais la même chose toutes les semaines pour les heures supplémentaires.

— Et quand elle part, vous le prévenez aussi ?

— Bien sûr.

— Elles partent toujours, intervint Aveney. Elles manquent de suite dans les idées. Eternel féminin...

— Les payez-vous toutes avec des enveloppes hebdomadaires ?

— Non, pas toutes, répondit Oldbury. Certaines de nos employées n'ont pas besoin de leur salaire pour euh... le ménage. Ce sont les maris qui font bouillir la marmite, comme on dit. Les femmes, certaines d'entre elles du moins, gardent leur paie pour les vacances, pour embellir leur intérieur ou simplement pour mettre de l'argent de côté.

— Je vois. Mais que se passe-t-il alors ?

— Eh bien, celles-là ne reçoivent pas d'enveloppes. Leur salaire est directement versé à un compte bancaire, un compte postal ou à la Caisse d'épargne.

— Bien entendu, vous prévenez le comptable et il introduit aussi ces données dans l'ordinateur ?

— Oui.

— Ainsi donc, résuma Wexford, il suffirait que le comptable invente une femme, nourrisse l'ordinateur avec un nom et une adresse fictifs pour que ce prétendu salaire soit versé à un compte en banque ? Et le comptable — ou plutôt sa complice — n'aurait plus qu'à retirer l'argent quand bon lui semblerait ?

— Mais, dit Oldbury sévère, ce serait de l'escroquerie !

— Plutôt, oui. Puisque vous gardez les dossiers, il nous sera facile de vérifier, non ?

— Oh ! oui, rien de plus facile.

Oldbury trottina en direction d'un classeur dont les casiers étaient bourrés de documents froissés.

— Nous conservons les dossiers durant un an après qu'elles nous ont quittés.

Un an seulement... Et Hathall était parti dix-huit mois auparavant.

L'entretien n'avait ni confirmé ni infirmé la thèse de Howard, mais puisqu'il ne subsistait plus de dossiers, que pouvait-on faire ? Si son enquête n'avait pas été secrète, Wexford aurait envoyé des hommes se renseigner dans les banques et les Caisses d'épargne. Malheureusement, ce n'était pas possible. Cependant, il voyait clairement à présent comment l'escroquerie avait pu être montée : l'idée venait d'Angela, puis une femme avait été mise dans le coup, pour incarner les employées que Hathall inventait et aller retirer l'argent versé aux comptes. Et puis, l'imprévu : Hathall s'était amouraché de cette intermédiaire et Angela en avait été jalouse.

Si cette analyse était la bonne, elle expliquait tout : la solitude délibérée des Hathall, leur vie cloîtrée et la provenance de l'argent qui leur permettait de dîner en ville et à Robert de faire des cadeaux à sa fille. Tout avait bien marché jusqu'à ce qu'Angela se rende compte que la femme était pour son mari plus qu'une collectrice de fonds. Qu'avait-elle fait alors ? Avait-elle interrompu l'idylle et menacé de les faire coffrer s'ils recommençaient ? Cela aurait signifié pour Hathall la perte de son emploi chez *Marcus Flower*, la fin de sa carrière de comptable. C'est pourquoi, n'envisageant pas de rompre, ils avaient tué Angela. Sachant que les dossiers n'étaient conservés chez *Kidd* que pendant un an, ils ne risquaient pas d'être découverts.

Wexford descendit à faible allure l'allée aménagée entre les pelouses pour sortir de l'usine. Au portail débouchant sur la route principale, il croisa une voiture qui entrait. Elle était pilotée par un agent de police en uniforme et occupée par l'inspecteur principal Jack Lovat, un petit homme au nez retroussé qui portait de fines lunettes cerclées d'or. La voiture ralentit et Lovat abaissa la vitre.

— Que faites-vous ici ? s'enquit Wexford.

— Mon travail, répondit Lovat simplement.

— Votre visite a-t-elle un lien quelconque avec un certain Robert Hathall ?

— Non, répondit Lovat.

Il eut un sourire hermétique et ordonna au chauffeur de continuer.

Sans ses nouvelles industries, Toxborough eût été réduit à l'état de village semi-désert avec une population vieillissante. L'industrie y avait amené la vie, le commerce, les routes, la laideur, un centre culturel, un terrain de sport et une cité d'H.L.M. Cette dernière était traversée par une large artère baptisée Maynnot Way, d'après le nom de la seule vieille demeure qui y restait, Maynnot Hall. Là les lampadaires en béton remplaçaient les arbres. Wexford qui n'avait pas emprunté cette artère depuis dix ans, lorsque le béton et les briques avaient commencé à se répandre dans les champs verts de Toxborough, savait pourtant qu'il y avait une Caisse d'épargne dans le coin. Au deuxième croisement, il tourna à gauche dans Queen

Elisabeth Avenue et la trouva serrée entre un pub et un magasin qui vendait des tapis.

Le directeur, un homme raide et suffisant, réagit d'une voix acerbe aux questions de l'inspecteur principal.

— Vous laisser regarder nos livres ? Pas sans un ordre écrit.

— Soit, mais dites-moi simplement ceci : si un compte cesse d'être approvisionné et qu'il n'y reste plus rien, écrivez-vous au titulaire pour lui demander s'il veut que son compte soit fermé ?

— Nous avons renoncé à cette pratique. Si quelqu'un n'a que quinze pence sur son compte, il ne va pas gaspiller un timbre pour demander de le fermer. Pas plus qu'il ne va dépenser cinq pence pour venir en autobus chercher ce qu'il lui reste, pas vrai ?

— Voudriez-vous vérifier si, sur certains comptes ouverts par des femmes, aucune opération de versement ou de retrait n'a été effectuée depuis... cela fait un an en avril ou mai dernier. Dans l'affirmative, accepteriez-vous de me mettre en relation avec les titulaires des comptes ?

— Non, sauf s'il s'agit d'une enquête officielle. Je n'ai pas assez de personnel à ma disposition.

« Moi non plus », songea Wexford en quittant le directeur. Il n'avait ni personnel, ni moyens, ni encouragements. Et pour persuader Griswold que l'enquête valait la peine d'être poursuivie, il n'avait pour tout argument que *sa conviction*.

— J'ai encore abouti à un cul-de-sac, dit-il à son neveu Howard, ce soir-là. Mais je comprends maintenant comment tout s'est passé. Les Hathall et leur complice exploitent leur combine pendant deux ans. Le butin est partagé à Bury Cottage. Robert trouve ensuite un nouvel emploi et il n'a plus besoin de

pratiquer l'escroquerie. La complice devrait disparaître dans la nature, mais elle ne le fait pas car il s'est
entiché d'elle et veut continuer à la voir. Tu imagines
d'ici la fureur d'Angela ! C'était *son* idée, elle avait
élaboré le coup, pour aboutir à ça. Elle exige de
Robert qu'il laisse tomber l'autre femme. Il fait semblant d'accepter. Tout paraît alors s'arranger entre
Angela et lui au point qu'elle accepte de revoir sa
belle-mère et nettoie la maison à fond pour l'impressionner. Dans l'après-midi, Angela va chercher sa
rivale pour liquider leur association, peut-être définitivement. L'autre l'étrangle comme c'était convenu
avec Hathall, mais laisse l'empreinte de sa main sur la
baignoire.

— Admirable ! dit Howard. Je suis sûr que tu as
raison.

— Pour ce que cela me sert ! Je ferais aussi bien
de rentrer chez moi demain.

Aucune convocation n'attendait Wexford à Kingsmarkham et rien d'important ne s'y était produit
durant son absence. On avait cambriolé la demeure
du président du conseil rural. Six télévisions en couleurs avaient été volées dans un magasin de High
Street. Le fils de Burden avait été admis à l'université
de Reeding. La maison de Nancy Lake avait été vendue vingt-cinq mille livres. Certains disaient qu'elle
allait vivre à Londres et d'autres, qu'elle se rendait à
l'étranger. Enfin, le sergent Martin avait décoré le
foyer du commissariat de guirlandes de papier et
d'anges, mais le commissaire principal avait ordonné de les enlever car cela attentait à la dignité du
Sussex.

— Curieux que Hathall n'ait pas porté plainte,
non ?

— C'est heureux pour vous.

Avec ses nouvelles lunettes, Burden paraissait plus sévère et plus puritain que jamais. Il ajouta en soupirant :

— Vous devriez laisser tomber cette affaire.

— Holà ! Est-ce une façon de parler à un inspecteur principal ? Il fut un temps où vous me donniez du *monsieur*.

— C'est vous qui m'avez demandé de cesser. Vous vous rappelez ?

Wexford rit :

— Allons au *Carousel* manger un morceau, et je vous dirai ce qu'il faut que j'abandonne.

Tout en mangeant, Wexford raconta ce qu'il avait fait.

— Et maintenant, vous me croyez ?

— Oh ! je ne sais pas. C'est surtout dans votre tête que ça se passe, non ? Ma fille me parlait l'autre jour de Galilée qui soutenait que la Terre tournait. On l'a obligé à se rétracter mais sur son lit de mort, ses derniers mots furent : *Et pourtant, elle tourne*.

— Je connais cette anecdote. Qu'essayez-vous de prouver ? Il avait raison. La Terre tourne effectivement autour du Soleil. Et sur *mon* lit de mort, je dirai : *Il est coupable*.

Wexford soupira. Autant changer de sujet.

— J'ai vu Jack Lovat la semaine dernière. Toujours aussi loquace ! A-t-il retrouvé sa disparue ?

— Il creuse toute la ville à la recherche de son cadavre.

— A ce point ?

— Il est convaincu qu'elle est morte et il a arrêté le mari.

— Quoi ? Pour meurtre ?

— Non, pas sans le corps, mais le type a des

antécédents judiciaires, et il le retient sous l'inculpation de bris de magasin.

— Bon sang ! explosa Wexford. Il y en a qui ont toutes les chances !

Son regard croisa celui de Burden qui le dévisagea comme s'il commençait à douter de son équilibre mental.

Les devantures de High Street étincelaient de mille lumières et des ampoules orange, vertes, rouges et bleues éclairaient les branches du grand cèdre placé devant le bar du *Dragon*. Dans la vitrine du magasin de jouets, un père Noël en ouate et carton-pâte inclinait la tête, souriait et pivotait devant un public enfantin au nez collé contre la vitre.

— Plus que douze jours avant Noël, dit Burden.

— Oh ! la ferme ! rétorqua Wexford d'un ton sec.

XVII

La brume grise qui flottait sur la rivière dissimulait la rive opposée et enveloppait les saules. Les maisons de la vieille ville sommeillaient dans le brouillard glacial.

Wexford passa devant la maison de Mark Somerset et l'église. Plus que quelques jours avant la nuit la plus longue, avant le solstice d'hiver, où le Soleil atteindrait son point le plus éloigné de la Terre. Ou plus exactement, rectifia Wexford se rappelant l'anecdote de la veille, quand la Terre se trouverait au point de sa course le plus distant du Soleil.

Il vit les voitures et les cars de police garés le long de River Lane devant une rangée de maisons quasiment en ruine, abandonnées par leurs propriétaires et habitées de temps à autre par des sans-abri. Ici et là, du plastique remplaçait un carreau ou même une fenêtre effondrée. Des couvre-lits, des sacs, des chiffons, voire du papier d'emballage déchiré et trempé, étaient plaqués contre d'autres fenêtres. Mais, en ce moment, il n'y avait pas de squatters. L'hiver et l'humidité montant de la rivière les avaient chassés vers d'autres lieux.

Entre des murs de brique démolis, un passage conduisait aux jardins qui descendaient jusqu'à la rivière. Ils étaient devenus des dépôts d'ordures infestés de rats. Wexford emprunta le passage jusqu'à un endroit où le mur s'était effondré, laissant une brèche. Un jeune sergent de police qui se trouvait à l'intérieur lui barra le passage.

— Désolé, monsieur, personne n'est autorisé à pénétrer ici.

— Vous ne me reconnaissez pas, Hutton ?

— Oh ! l'inspecteur principal Wexford, n'est-ce pas ? Je vous demande pardon, monsieur.

Wexford l'excusa du geste et demanda où se trouvait son collègue Lovat.

— En bas, là où ils creusent, monsieur. Sur votre droite, tout au bout.

— Ils creusent pour retrouver le corps de cette femme ?

— Oui. Mrs Morag Grey. Son mari et elle ont vécu ici en squatters une partie de l'été, l'année dernière. Mr Lovat pense que le mari l'a peut-être enterrée dans ce jardin.

— Ils ont vécu *ici* ?

Wexford leva les yeux vers le pignon croulant soutenu par une solive. Le plâtre lépreux était parti par plaques à certains endroits, laissant voir les claies qui avaient servi à la construction de la maison, quatre siècles auparavant. Un portail béant révélait des murs extérieurs suintant comme les parois d'une grotte que la mer envahit tous les jours.

— Ce ne devait pas être si mal en été, dit Hutton, et ils n'y sont pas restés plus de deux mois.

Des buissons sous lesquels traînaient des boîtes vides et des journaux trempés fermaient l'extrémité du jardin. Wexford les écarta pour se frayer un chemin et déboucha sur un terrain vague. Quatre hommes creusaient là et bien plus profondément que les trois fers de bêche qui sont la règle du jardinier. De la terre mêlée d'éclats de calcaire s'amoncelait contre le mur côté rivière. Lovat était assis sur celui-ci, le col du pardessus relevé, une cigarette collée à sa lèvre inférieure. Il regardait faire, l'air impénétrable.

— Qu'est-ce qui vous fait croire qu'elle est là-dessous ?

Il faut bien qu'elle soit quelque part.

Lovat n'avait exprimé aucune surprise en voyant arriver Wexford. Il s'était contenté d'étaler une autre feuille de journal sur le muret pour lui permettre de s'asseoir.

— Sale temps, ajouta-t-il.

— Et vous pensez que son mari l'a tuée ?

Wexford savait qu'avec Lovat, il était inutile de poser des questions. Il fallait exposer des faits et attendre qu'il les accepte ou les refuse.

— Vous l'avez arrêté pour s'être introduit par effraction dans un magasin, mais vous n'avez pas de cadavre. Vous savez seulement qu'une femme a disparu. Quelqu'un a dû vous alerter pour que vous preniez la chose tellement au sérieux. Grey lui-même ?

— Non : la mère de la disparue.

— Je vois. Tout le monde pensait qu'elle était chez sa mère, laquelle la croyait ailleurs mais a fini par s'émouvoir parce que ses lettres à sa fille restaient sans réponse. Ce Grey a un casier judiciaire chargé et vit peut-être avec une autre femme. Il a dû raconter aussi des tas de mensonges. Ai-je raison ?

— Oui.

Wexford pensait avoir fait son devoir en manifestant de l'intérêt pour l'enquête de Lovat. Le brouillard glacé traversait ses vêtements.

— Lovat, voulez-vous me rendre un service ?

Lorsqu'on leur pose cette question, la plupart des gens répondent que ça dépend du service demandé, mais Lovat possédait des qualités qui compensaient son mutisme. Il extirpa une cigarette fripée d'un paquet mouillé et répondit simplement :

— Oui.

— Vous connaissez ce Hathall après qui je cours toujours ? Je pense qu'il a monté une escroquerie sur les salaires, alors qu'il travaillait chez *Kidd* à Toxborough. C'est pour cette raison que je m'étais rendu à cette fabrique de jouets, le jour où nous nous sommes croisés. Malheureusement, je n'ai pas qualité pour agir. Je suis à peu près sûr que les choses se sont passées ainsi...

Wexford expliqua comment, selon lui, le coup avait été monté, puis conclut :

— Accepteriez-vous d'envoyer un de vos hommes enquêter dans les Caisses d'épargne pour tâcher de découvrir si certains comptes ne seraient pas des comptes bidons ? Et vite, parce qu'il ne me reste plus que dix jours.

Lovat ne demanda pas pourquoi il ne lui restait que dix jours. Il essuya ses lunettes que le brouillard avait embuées, les rajusta sur son nez rouge, considéra les hommes qui travaillaient et dit :

— En ce moment, j'ai beaucoup de travail avec ces fouilles.

Wexford ne fit aucun commentaire. Il s'assit en silence dans le froid humide, écoutant le bruit des bêches lorsqu'elles heurtaient le calcaire, et le glissement doux de la terre balancée sur le côté. Y avait-il un corps là-dessous ? A tout moment, une bêche pouvait dégager une main blanche en putréfaction.

Le brouillard s'épaississait au-dessus de l'eau stagnante. Lovat jeta son mégot dans une flaque tachée d'huile.

— D'accord, dit-il.

Ce fut avec soulagement que Wexford s'éloigna de la rivière et de ses miasmes pour remonter vers la partie élégante de la vieille ville où il avait garé sa voiture. Il était en train d'essuyer son pare-brise couvert de buée quand il vit Nancy Lake tourner l'angle de la rue, puis pénétrer dans une boulangerie réputée pour ses gâteaux et son pain cuit au four. Plus d'un an s'était écoulé depuis leur dernière rencontre et il avait presque oublié ce qu'il éprouvait alors chaque fois qu'il la voyait.

Bien qu'il grelottât dans la brume glacée, il décida de l'attendre sur le trottoir. Il en fut récompensé par un chaleureux sourire lorsqu'elle ressortit de la boutique.

— Mr Wexford ! Il y a des policiers partout ici, mais je ne m'attendais pas à vous voir.

— Je suis policier, moi aussi. Puis-je vous ramener en voiture à Kingsmarkham ?

— Non, merci, je ne rentre pas tout de suite.

Elle portait un manteau en chinchilla qui scintillait de fines gouttelettes. Le froid qui pinçait les autres visages avait coloré le sien et faisait briller ses yeux.

— Mais je passerai cinq minutes avec vous dans votre voiture, si vous voulez.

« Quelqu'un, se dit-il, devrait inventer un moyen de chauffer une voiture moteur arrêté. » Nancy ne parut cependant pas ressentir le froid. Elle se pencha vers lui avec l'ardeur et la vitalité d'une jeune femme.

— Si nous partagions un gâteau ?

— Mauvais pour ma ligne ! dit-il en secouant la tête.

— Mais vous avez une silhouette très élégante !

Tout en sachant qu'il n'aurait pas dû, que c'était une invite au flirt, il plongea son regard dans les yeux brillants de Nancy.

— Vous me dites toujours des choses qu'aucune femme ne me dit plus depuis longtemps.

— Pas toujours, répondit-elle en riant. Comment cela pourrait-il être *toujours*, alors que je ne vous vois jamais ?

Elle mordit dans un gâteau. C'était le genre de pâtisserie qu'on ne devrait jamais essayer de manger sans assiette, fourchette et serviette. Elle y parvint cependant très bien avec ses seuls doigts, sa petite langue rose rattrapant les particules de crème collées à ses lèvres.

— J'ai vendu ma maison. Je déménage l'avant-veille de Noël.

L'avant-veille de Noël...

— On raconte que vous allez à l'étranger.

— C'est vrai ? On a raconté tant de choses sur moi ici depuis vingt ans, le plus souvent en déformant la vérité... A-t-on dit que mon rêve se réalise enfin ? (Elle finit son gâteau et se lécha délicatement les doigts.) A présent, il me faut vous quitter. Je vous ai demandé une fois... oh ! il me semble que ça remonte à des années... de venir prendre le thé chez moi.

— Vous me l'avez demandé, en effet.

— Accepteriez-vous de venir ? Disons... vendredi prochain ? Nous finirons la confiture de *merveilles*.

— J'aimerais savoir pourquoi vous l'appelez ainsi ?

— Je vous l'expliquerai. Je vous raconterai aussi l'histoire de ma vie. Tout sera clair. A vendredi, donc ?

— A vendredi.

L'émotion qu'il ressentait était absurde. « Tu es vieux, se dit-il avec sévérité. Elle veut te donner de la confiture de mirabelles et te raconter l'histoire de sa vie. C'est tout ce que tu peux espérer désormais... » Et il la regarda s'éloigner jusqu'à ce que sa fourrure grise disparaisse dans la brume.

— Je n'arrive pas à le suivre dans le métro, Reg. J'ai essayé trois fois, mais chaque soir il y a davantage de monde. C'est la ruée d'avant Noël.

— Je sais, répondit Wexford.

Il était plus conscient que les autres années de l'importance des fêtes. N'était-ce point parce que chaque carte de vœux qu'il trouvait sous sa porte, chaque allusion aux réjouissances à venir, était synonyme pour lui d'échec proche ?

— Laisse tomber, Howard. Il sortira peut-être quelque chose des feuilles de paic. C'est mon dernier espoir.

A l'autre bout du fil, son neveu protesta :

— Je ne voulais pas dire que j'avais l'intention d'abandonner, mais simplement que je n'arrive à rien de cette façon.

— Vois-tu un autre moyen ?

— Pourquoi n'essaierais-je pas de le filer de l'autre bout ?

— L'autre bout ?

— Hier soir, après l'avoir perdu dans le métro, je suis allé à pied jusqu'à Darmeet Avenue. Je pensais qu'il devait bien rester certaines nuits avec elle, mais pas toutes les nuits, sans quoi il n'aurait eu aucune raison de louer une chambre. Ainsi, hier, il est rentré chez lui par le dernier bus. Alors, pourquoi ne prendrais-je pas aussi ce dernier bus ?

— Mon cerveau doit se ramollir car je ne vois pas comment cela pourrait nous aider.

— Voici : il prendra le bus à l'arrêt le plus proche de chez elle, n'est-ce pas ? Une fois que je saurai quel est cet arrêt, j'irai l'y attendre le soir suivant à partir de 17 h 30. S'il arrive en bus, je pourrai le filer, si c'est en métro ce sera plus difficile mais j'ai tout de même une chance.

Kilburn Park, Great Western Road, Pembridge Road, Church Street... Wexford soupira.

— Mais il y a des douzaines d'arrêts !

— Pas à Notting Hill. Ce doit être là qu'elle habite, souviens-toi. Le dernier 28 traverse Notting Hill Gate à 22 h 50. Demain soir, je l'attendrai à Church Street. J'ai encore six autres jours ouvrables d'ici Noël, Reg, six autres soirs à monter la garde !

Comme Wexford reposait le combiné, la sonnerie de la porte retentit et il entendit la voix légère des jeunes chanteurs de Noël entonner :

Paix sur la terre aux hommes de bonne volonté !

XVIII

Le lundi précédant la semaine de Noël s'écoula sans que Lovat donnât de ses nouvelles. Il devait être sans doute très occupé avec l'affaire Morag Grey. Le corps de la disparue n'avait pas été retrouvé et son mari, toujours en détention provisoire, ne devait passer en jugement que sous l'inculpation de bris de magasin.

Wexford téléphona le mardi après-midi au commissariat de Myringham, mais c'était le jour de repos de Lovat. Howard ne se manifesta pas non plus, et Wexford se retint de l'appeler. On ne harcèle pas quelqu'un qui vous fait l'immense faveur de consacrer tout son temps libre à satisfaire la poursuite de votre chimère. Wexford chercha la définition de ce mot dans le dictionnaire et lut : *chimère :* monstre, épouvantail, produit de l'imagination. *Produit de l'imagination...* Hathall était un être de chair et de sang, certes, mais la femme ? Seul Howard l'avait vue en compagnie de Robert, mais il n'était pas prêt à en jurer.

« Il ne faut pas que je me laisse abattre, se dit Wexford. Quelqu'un a bien imprimé cette marque de main, quelqu'un a bien laissé ces cheveux noirs et épais sur le plancher de la chambre à coucher d'Angela. »

Et même si chaque jour qui passait diminuait les chances d'arriver à identifier cette femme, Wexford n'en souhaitait pas moins savoir comment le meurtre avait été perpétré, parvenir à combler les lacunes qui subsistaient, apprendre comment Hathall avait connu sa complice. Dans la rue, dans un pub, comme l'avait suggéré Howard ? Ou bien était-elle une amie d'Angela, avant que Hathall eût été présenté à sa femme chez Craig, à Finchley ? Elle avait sûrement dû habiter à proximité de Toxborough ou de Myringham si son travail était d'effectuer des retraits d'argent sur des comptes fictifs. A moins qu'elle n'ait partagé cette tâche avec Angela ? Hathall n'était occupé qu'à temps partiel chez *Kidd* et Angela pouvait très bien utiliser la voiture de son mari les jours où il ne travaillait pas, afin d'opérer cette collecte.

Il y avait aussi ce livre sur les langues celtiques, autre curieuse pièce à conviction à laquelle Wexford n'avait même pas cherché d'explication. Les langues celtiques ont certes quelque rapport avec l'archéologie mais Angela ne leur avait guère porté d'intérêt lorsqu'elle était employée à l'*Association des archéologues*. Mais si ce livre n'avait pas d'importance, pourquoi Hathall s'était-il troublé en le voyant entre les mains du policier ?

Cependant, quelles que fussent les déductions qu'il pût tirer de l'examen répété des faits, l'essentiel pour l'instant était d'arrêter Hathall avant que celui-ci ne quitte le pays et, pour cela, il lui fallait trouver des preuves de l'escroquerie. Aussi le mercredi matin, n'ayant toujours aucune nouvelle de Lovat, Wexford se rendit en voiture à Myringham pour le surprendre dans son bureau. Il arriva à 10 heures pour s'entendre dire que son collègue était au tribunal et n'en reviendrait pas avant l'heure du déjeuner.

Wexford se fraya un chemin à travers la foule qui se pressait dans le centre commercial, grimpa les marches en béton, monta et descendit des escaliers roulants, le tout dans une féerie de lumières, et parvint enfin dans la salle du tribunal. La partie réservée au public était presque vide. Il se glissa sur un siège, chercha Lovat du regard et le repéra assis tout au bout, presque sous le banc des magistrats.

Un homme dégingandé, d'une trentaine d'années, se trouvait dans le box des accusés. L'avocat qui le défendait le présenta comme un certain Richard George Grey, sans domicile fixe. Ah ! le mari de la disparue... Pas étonnant que Lovat affichât une mine aussi soucieuse. Très vite, Wexford se rendit compte que l'accusation portée contre Grey reposait sur des indices bien fragiles. Il semblait peu probable que la police parvienne à obtenir la condamnation qu'elle souhaitait. L'avocat, jeune et distingué, faisait de son mieux pour blanchir son client. Avec un malin plaisir, Wexford se prit à souhaiter que celui-ci s'en tire.

Pourquoi, après tout, Lovat serait-il le veinard capable de garder un suspect en détention jusqu'à ce qu'il ait rassemblé assez de preuves contre lui pour le faire condamner pour meurtre ?

— Et vous serez sensibles, messieurs les juges, au fait que mon client a eu une enfance malheureuse. Bien que la loi ne l'oblige pas à le faire, mon client, comprenant que vous la jugerez bien anodine, va vous divulguer la seule condamnation dont il ait fait l'objet. Il a été mis en liberté surveillée, à l'âge de dix-sept ans, pour s'être indûment trouvé dans un établissement fermé.

Wexford se déplaça pour laisser le passage à deux femmes d'un certain âge, chargées de sacs à provisions. Elles arboraient une expression avide et paraissaient tout à fait à leur aise dans cet endroit. « Cet intermède, songea-t-il, a trois avantages sur le cinéma : il est gratuit, matinal et constitue une véritable tranche de vie. » Puis savourant la déconvenue de Lovat, il se remit à écouter la plaidoirie.

— Voyons à présent les *penchants criminels* de mon client. Il est vrai que, à bout de ressources et sans toit, il fut amené à chercher refuge dans une maison en ruine que le propriétaire n'occupait plus et qui était classée comme insalubre. Mais cela, et le tribunal en a certainement conscience, ne constitue pas un crime. Ce n'est même pas un délit. Il est également vrai que mon client avait été renvoyé par son précédent employeur pour s'être approprié la somme dérisoire de deux livres cinquante, et il le reconnaît franchement bien qu'aucune plainte n'ait été déposée contre lui. En conséquence de quoi, mon client fut obligé de quitter le cottage de Maynnot Hall à Toxborough. Sa femme l'abandonna, sous prétexte qu'elle se refusait à vivre avec un homme dont l'honnêteté n'était pas au-dessus de tout soupçon. Cette dame, dont on ne sait au juste où elle se trouve et dont l'abandon a provoqué une détresse immense chez mon client, a un point commun, apparemment, avec la police de Myringham : celui de frapper un homme quand il est à terre...

Il y eut encore beaucoup d'arguments de la même veine. Wexford eût trouvé le procès moins ennuyeux si on y avait apporté plus de preuves tangibles. Les magistrats revinrent après trois minutes de délibération avec un verdict de non-lieu. Lovat se leva, écœuré, et Wexford l'imita dans l'intention de le suivre, mais ses voisines agitèrent leurs sacs à provisions en signe de protestation, puis une foule de gens se pressa vers l'entrée des témoins pour une affaire de coups et blessures, et, lorsqu'il parvint enfin dehors, Lovat démarrait dans une direction opposée à celle du commissariat.

Wexford réfléchit qu'il se trouvait à quelque vingt-cinq kilomètres au nord de Kingsmarkham. Il n'était donc pas très loin de Londres. Pourquoi ne pas en profiter pour avoir un dernier entretien avec Eileen Hathall ? La situation ne pouvait être pire qu'elle ne l'était déjà, la chose valait d'être tentée. En effet, quel soulagement si Eileen lui annonçait que le départ de son ex-mari était retardé d'une semaine ou deux !

Comme, pour traverser Toxborough, il empruntait Maynnot Way, il sentit sa mémoire sollicitée par quelque réminiscence. Richard Grey et sa femme avaient vécu dans les parages, avaient sans doute été employés comme domestiques à Maynnot Hall... Non, ça n'était pas cela. Pourtant, il s'agissait de quelque chose dit par le jeune défenseur de Grey... Voyons un peu... Ah ! oui, sa femme... La femme de Grey l'avait abandonné parce qu'elle se refusait de vivre avec un homme dont l'honnêteté n'était pas au-dessus de tout soupçon... Mais qu'est-ce que cela lui rappelait ? Dans l'affaire Hathall, un an peut-être, ou des mois, des semaines auparavant, quelqu'un, quelque part lui avait parlé aussi d'une femme qui ne transigeait pas non plus avec l'honnêteté... L'ennui, c'est qu'il n'arrivait pas à se rappeler qui c'était.

En revanche, il n'eut aucun effort de mémoire à faire pour reconnaître la personne qui était installée dans le salon à côté d'Eileen. Wexford n'avait pas revu la vieille Mrs Hathall depuis une quinzaine de mois et il fut consterné de la trouver là. Eileen ne parlerait certainement pas à son ex-mari de la visite du policier, mais la mère de Robert ne manquerait pas de le faire. De toute façon, ça n'avait plus tellement d'importance : Hathall prenait l'avion dans cinq jours. Un homme sur le point de s'expatrier a d'autres préoccupations que de se livrer à de mesquines représailles.

Mrs Hathall, qui prenait le café, parut se méprendre totalement sur ce qui motivait la visite de Wexford. Ce policier exaspérant devait chercher Robert, une fois de plus. Aussi lui lança-t-elle sans plus attendre :

— Vous ne le trouverez pas ici. Il est trop occupé à préparer son départ pour l'étranger.

Comme Wexford tournait vers elle un regard interrogateur, Eileen précisa :

— Il est venu me faire ses adieux hier soir.

Elle dit cela avec une sorte de détachement et en les regardant l'une après l'autre, Wexford comprit ce qui se passait. Tant qu'il vivait en Angleterre, Hathall était pour elles une source continuelle d'amertume, engendrant chez sa mère un perpétuel besoin d'agacer ou de harceler les autres, et chez son ex-femme, ressentiment et humiliation. Lui parti — et si loin qu'on pourrait le considérer comme mort — toutes deux retrouveraient la paix. Eileen prendrait quasiment rang de veuve tandis que Mrs Hathall aurait une explication toute prête pour justifier la séparation de son fils et de sa bru : la nécessité de donner une éducation anglaise à leur fillette.

— Il part lundi ?

La vieille femme acquiesça avec une certaine fierté. Elle finit son café, se leva et entreprit de nettoyer la table. Avec elle, dès qu'on avait terminé de manger, il fallait débarrasser. C'était la règle. Wexford la vit soulever le couvercle de la cafetière, regarder à l'intérieur, puis, du geste, proposer à sa bru ce qui restait de café. Eileen secoua la tête et Mrs Hathall emporta la cafetière. Il ne vint à l'idée d'aucune des deux d'en proposer au policier. Eileen attendit que sa belle-mère quitte la pièce pour ouvrir la bouche.

— Je suis bien contente que Robert s'en aille. Il n'avait aucune raison de venir me dire adieu. Je me suis débrouillée sans lui pendant cinq ans et je me sens capable de continuer à le faire jusqu'à la fin de mes jours. Ah ! oui vraiment, bon débarras !

Comme Wexford l'avait supposé, Eileen était désormais en mesure de se persuader qu'elle avait chassé son ex-mari, et qu'elle aurait pu l'accompagner au Brésil si elle l'avait voulu.

— Maman et moi, poursuivit-elle en promenant son regard sur la pièce nue, sans une branche de houx ni même une guirlande de papier, allons passer un Noël tranquille toutes les deux. Rosemary part demain chez sa correspondante en France et ne sera pas de retour avant la rentrée scolaire. Nous serons bien au calme.

Wexford réprima un frisson. Les affinités existant entre ces deux femmes avaient quelque chose d'effrayant. Eileen avait-elle épousé Robert à cause de sa mère ou bien Mrs Hathall l'avait-elle choisie pour son fils parce qu'elle était la fille qu'elle aurait souhaité avoir ?

— Maman pense venir vivre ici avec moi, dit Eileen tandis que la vieille femme revenait en traînant la jambe. Dès que Rosemary ira à l'université. Inutile d'entretenir deux maisons, pas vrai ?

Tout autre que Mrs Hathall aurait réagi en adressant un sourire reconnaissant à sa belle-fille. Ses petits yeux froids se contentèrent de clignoter en signe d'approbation, s'attardant un instant sur le visage bouffi d'Eileen tandis que sa bouche aux commissures tombantes paraissait déçue de n'avoir rien à redire.

— Venez donc, Eileen, nous avons la vaisselle à faire.

Elles ne se donnèrent même pas la peine de raccompagner le policier. Comme celui-ci sortait de la maison, il vit la voiture qui avait été celle de Hathall tourner dans la rue avec Rosemary au volant. En le reconnaissant, elle eut la même réaction que sa grand-mère : ni sourire ni même bonjour.

— J'apprends que vous allez passer les fêtes de Noël en France ?

Elle coupa le moteur mais ne répondit pas.

— Je me rappelle vous avoir entendue dire une fois que vous n'aviez jamais quitté l'Angleterre.

— C'est exact.

— Pas même pour une excursion d'une journée en France avec votre école, miss Hathall ?

— Oh ! ça, fit-elle avec calme. C'était le jour où Angela s'est fait étrangler. (Elle esquissa un geste rapide devant sa gorge et reprit :) J'avais raconté à ma mère que je partais avec l'école mais en réalité j'étais sortie avec un garçon. Vous voilà satisfait ?

— Pas tout à fait. Vous savez conduire. Il y a dix-huit mois, vous étiez déjà capable de tenir un volant.

149

Vous haïssiez Angela mais vous semblez aimer votre père.

Elle l'interrompit brutalement.

— L'aimer, *lui* ? Tous les trois, je ne peux pas les blairer ! Ma mère est une loque et la vieille, une vache. Vous ne savez pas, personne ne peut savoir ce qu'ils m'ont fait endurer, me tirant à hue et à dia chacun de son côté.

Ces paroles jaillissaient sous l'effet de la colère et pourtant Rosemary n'élevait pas le ton.

— Je vais partir cette année et ils ne me reverront plus jamais. Ces deux-là vont pouvoir vivre ensemble, et lorsqu'elles mourront, il n'y aura personne pour les regretter !

Elle leva la main pour écarter une mèche de cheveux épais et bruns. Wexford vit l'extrémité de son doigt rosé, parfaitement lisse.

— Vous êtes satisfait ? répéta-t-elle.

— A présent, oui.

— Moi, tuer Angela ? (Elle eut un rire rauque.) Il y en a d'autres que j'aurais tués avant, je vous le certifie ! Vous croyiez réellement que je l'avais tuée ?

— Non, pas vraiment, mais je suis convaincu que vous en auriez été capable si vous l'aviez voulu.

Il fut plutôt content de sa repartie et il en imagina d'autres en regagnant sa voiture. Une fois au moins il avait eu l'occasion de confondre un Hathall. Certes, pendant qu'il y était, il aurait pu demander à Rosemary si elle avait connu une femme avec une cicatrice au bout du doigt, mais il n'était pas dans sa nature de demander à une fille de trahir son père, même une telle fille et un tel père.

De retour au commissariat, il téléphona à Lovat, lequel était évidemment sorti et ne devait pas revenir avant le lendemain. Quant à Howard, il n'appellerait certainement pas. S'il avait monté la garde la veille, c'était en vain puisque Hathall s'était rendu à Croydon pour faire ses adieux à Eileen.

Dora était en train de glacer le gâteau de Noël. Elle avait placé au centre un père Noël en plâtre peint entouré d'oiseaux en plâtre également, garnitures qu'elle sortait tous les ans de leur emballage en papier argenté.

— Là ! N'est-il pas beau, mon gâteau ?

— Magnifique, dit Wexford d'un air sombre.

— Je serai bien contente quand cet homme sera enfin parti et que tu redeviendras toi-même ! (Elle couvrit le gâteau et se rinça les mains.) A propos, te souviens-tu d'avoir demandé des renseignements au sujet d'une femme appelée Lake ? Celle dont tu as dit qu'elle te rappelait George II ?

— Je n'ai jamais dit ça, fit-il, mal à l'aise.

— Enfin quelque chose du même genre... Eh bien, j'ai pensé qu'il t'intéresserait de savoir qu'elle va se marier. Avec un certain Somerset dont la femme est morte voilà deux mois. J'imagine qu'il y avait quelque chose entre eux depuis des années mais que le secret était bien gardé. Il n'a pas dû promettre, lui, à sa femme expirante de ne prendre que des maîtresses ! Oh ! chéri, j'aimerais que, de temps à autre, tu manifestes un peu d'intérêt pour ce que je te dis et n'aies pas toujours cet air excédé !

XIX

Jeudi était son jour de congé mais Wexford ne comptait pas se reposer : il avait l'intention de pourchasser Lovat jusqu'à son terrier. Toutefois, il n'avait aucune raison de se lever tôt.

Il s'était couché la veille en se disant qu'il avait été un vieil imbécile de supposer que Nancy était éprise de lui alors qu'elle s'apprêtait à épouser Somerset. Il était plongé dans un rêve absurde où Hathall et sa compagne embarquaient sur un bus 28 volant, quand la sonnerie du téléphone placé près de son lit l'en tira brutalement.

— J'ai pensé qu'il valait mieux t'appeler avant de me rendre au travail, fit la voix de Howard. J'ai trouvé l'arrêt du bus, Reg.

Cette nouvelle le réveilla tout à fait.

— Raconte !

— J'ai vu Hathall quitter *Marcus Flower* à 17 h 30 et quand il est allé à pied jusqu'à la station de Bond Street, j'ai su qu'il se rendait chez elle. J'étais obligé de retourner à la maison, mais dès 22 h 30, j'attendais le bus à New King's Road. Tout s'est déroulé mieux que je n'osais l'espérer... J'étais assis en bas, à l'avant, côté fenêtre. Hathall n'était pas à l'arrêt de Church Street ni au suivant, juste après la station de Notting Hill Gate. Je savais que s'il devait prendre le bus, ça ne tarderait pas, et puis... je le vois soudain, tout seul, faisant signe au machiniste, à l'arrêt placé à mi-pente de Pembridge Road. Il est monté à l'impériale. Je suis resté, bien entendu, et je l'ai vu descendre à West End Green. J'ai continué jusqu'à Golders Green et je suis rentré en taxi.

— Howard, tu es mon sauveur !

Wexford se sentait tout ragaillardi. Il ne disposait peut-être pas de policiers pour mener son enquête mais il avait son neveu, Howard le résolu, l'invincible, sur qui il pouvait compter. Et, à eux deux, ils en valaient deux mille... deux mille un avec Lovat !

Cela lui rappela qu'il devait voir son collègue au

plus vite. Il n'avait que le temps de s'habiller et filer.

Le responsable de la sûreté de Myringham était dans son bureau en compagnie du sergent Hutton.

La journée ne s'annonce pas mauvaise, dit Lovat en scrutant à travers ses drôles de lunettes le ciel triste où ne brillait pas le moindre rayon de soleil.

Wexford jugea préférable de ne faire aucune allusion à Richard Grey.

— Avez-vous pu travailler sur cette histoire de paie ?

Lovat hocha la tête lentement, mais ce fut le sergent qui parla.

— Nous avons relevé un ou deux comptes qui paraissent douteux, monsieur. Non, trois, pour être précis : un à la Caisse d'épargne de Toxborough, un second à Passingham St. John et le troisième ici. Dans les trois cas, des versements étaient effectués régulièrement par *Kidd* et ont cessé en mars ou avril de l'année dernière... Celui de Myringham était au nom d'une femme dont l'adresse se révéla être celle d'un hôtel. Les gens là-bas ne se souviennent pas d'elle et nous avons été incapables de retrouver sa trace. Celui de Passingham, par contre, était régulier. La bénéficiaire du compte a bien travaillé chez *Kidd*, qu'elle a quitté en mars. Elle ne s'est jamais souciée de retirer les trente derniers pence dont elle était créditée.

— Et le troisième ?

— Là est le hic, monsieur. Il est au nom d'une certaine Mary Lewis et l'adresse correspond à celle d'une maison de Toxborough, mais celle-ci est fermée, ses propriétaires étant en voyage. Les voisins affirment qu'ils se nomment Kingsbury et non Lewis, mais ils avaient pris des locataires ces dernières années et l'une d'elles a très bien pu être cette Mary Lewis. Il ne reste donc qu'à attendre le retour des Kingsbury.

— Les voisins savent-ils quand ils doivent rentrer ?

— Non, dit Lovat.

Wexford estima peu probable que des gens partis une semaine avant Noël reviennent avant la fin des fêtes. Un an auparavant, il avait pris la résolution de se montrer patient, mais le moment était arrivé où il comptait en heures plus qu'en jours le temps qui restait avant le départ de Robert Hathall. Quatre jours, soit quatre-vingt-seize heures.

« Ce doit bien être le seul exemple où un grand nombre paraît terriblement moindre qu'un petit », songea-t-il.

Quatre-vingt-seize heures, cinq mille sept cent soixante minutes, qu'était-ce ? Cela s'écoulerait en un clin d'œil. Et le plus frustrant de l'histoire, c'était qu'il devait laisser perdre ces heures, ces milliers de minutes à ne rien faire, si ce n'est de rentrer chez lui pour aider Dora à suspendre des guirlandes de papier, arranger de nouvelles branches de gui, planter l'arbre de Noël dans son bac.

Le vendredi, alors qu'il ne lui restait plus que soixante-douze heures, il se rendit à la cantine du commissariat avec Burden pour le déjeuner de Noël. Il se coiffa même d'un chapeau en papier et lança un serpentin à l'assistante de police, Polly Davis.

Il devait aussi aller prendre le thé chez Nancy Lake. Il faillit lui téléphoner pour annuler le rendez-vous mais il se ravisa, pensant qu'il avait encore une ou deux questions à lui poser et qu'après tout, c'était une façon comme une autre de passer le temps. A 4 heures, il arrivait à Wood Lane, ruminant de sombres pensées. Dire que huit mois auparavant, il était là en compagnie de Howard, plein d'espoir et de détermination.

— Nous nous sommes aimés pendant dix-neuf ans. J'étais mariée depuis cinq ans quand nous sommes venus vivre ici. Un jour que je me promenais dans l'allée, j'ai vu Mark dans le jardin de son père, en train de cueillir des prunes. Nous connaissions le terme approprié mais nous avons baptisé le mirabellier l'*arbre merveille* car pour nous, notre rencontre fut une merveille.

— La confiture, interrompit Wexford, est très bonne.

— Reprenez-en.

Elle lui sourit de l'autre côté de la table. La pièce où ils se trouvaient était nue, sans décorations de Noël, mais elle n'était pas froide. Wexford pouvait voir partout les marques d'un tableau, d'un miroir ou d'un ornement enlevés. En regardant Nancy, en l'écoutant, il pouvait imaginer la beauté et le caractère de ces objets à présent emballés, prêts à partir pour leur nouvelle demeure. Les rideaux de velours bleu foncé étaient encore accrochés à la porte-fenêtre. Elle les avait tirés, et son visage était mis en valeur sur ce fond sombre. A son doigt, un nouveau diamant étincelait à la lumière de la lampe placée près d'elle.

— Savez-vous, lança-t-elle soudain, ce que c'est qu'être amoureux et n'avoir nul endroit pour faire l'amour ?

— Oui... enfin... non.

— Nous nous débrouillions de notre mieux, mais mon mari eut vent de notre liaison et, du coup, il devint impossible à Mark de venir à Wood Lane. Nous avions essayé de ne plus nous revoir et parfois, nous arrivions à tenir ainsi pendant des mois, mais venait toujours un moment où nous succombions de nouveau.

— Pourquoi ne pas vous être mariés, puisque vous n'aviez d'enfants ni l'un ni l'autre ?

Elle prit la tasse vide de Wexford et la remplit. En la lui passant, ses doigts effleurèrent les siens. Il sentit la colère monter en lui.

« Comme si ce n'était pas assez difficile de la voir en face de moi ! Il faut encore qu'elle me parle de coucheries ! »

— Après la mort de mon mari, poursuivit-elle, nous avons projeté de nous marier. Mais la femme de Mark est tombée malade au point qu'il lui fut impossible de la quitter.

— Vous êtes restés fidèles l'un à l'autre et vous avez vécu d'espoir ? dit-il avec une sorte de sarcasme dans la voix.

— Non, j'ai connu d'autres hommes.

Elle lui adressa un regard appuyé qu'il ne put soutenir.

— Mark le savait, et même si cela lui faisait quelque chose, il ne m'en a jamais blâmée. Comment l'aurait-il pu ? Je crois vous l'avoir dit : j'avais l'impression d'être une simple distraction, destinée à lui changer les idées quand il avait la possibilité de s'arracher du chevet de sa femme.

— C'était à elle que vous pensiez quand vous m'avez demandé si c'était mal de souhaiter la mort de quelqu'un ?

— Bien sûr. Avez-vous cru... avez-vous cru que je parlais d'*Angela* ?

L'air grave qu'elle avait pris disparut et elle sourit de nouveau.

— Oh ! mon Dieu ! Me permettez-vous de vous raconter autre chose ? Voici deux ans, alors que je me sentais très seule et que j'avais le cafard parce que

Gwen Somerset rentrait de l'hôpital et ne voulait pas que son mari la quitte un seul instant, je... j'ai fait des avances à Robert Hathall. Vous voyez, je passe aux aveux ! Eh bien, il n'a pas voulu de moi. Il m'a repoussée. (Et elle ajouta avec un sourire moqueur ·) Je n'ai pas l'habitude d'être repoussée, vous savez.

— Je m'en doute. Croyez-vous que je sois aveugle ou complètement idiot ? fit-il avec humeur.

— Non, simplement inaccessible. Voulez-vous que nous passions dans l'autre pièce si vous avez fini ? Elle est plus confortable. Je ne l'ai pas encore vidée.

Elle avait répondu par avance aux questions qu'il voulait lui poser. Il n'avait plus besoin de lui demander où elle était allée ni ce que faisait Somerset le jour où Angela était morte. Il n'y avait plus de mystère à leur sujet. Il aurait pu prendre congé sans plus attendre, mais il la suivit néanmoins dans le couloir jusqu'à une pièce à l'ambiance plus chaude où, dans une harmonie de couleurs riches, tout n'était que douceur de la soie et du velours. Avant qu'elle ne ferme la porte, il lui tendit la main dans l'intention de lui dire quelques mots de remerciements et d'adieu mais elle la retint dans la sienne.

— Je serai partie lundi, dit-elle. Les nouveaux propriétaires emménagent ce jour-là. Nous ne nous reverrons jamais plus, je suis prête à vous le promettre si besoin est...

Jusqu'alors, il avait douté des intentions de Nancy à son égard. Désormais, le doute n'était plus possible.

— Pourquoi voudrais-je être la dernière passade d'une femme qui retourne à son premier amour ?

— N'est-ce pas flatteur ?

— Je suis un vieil homme et un vieil homme qui se laisse prendre à la flatterie est plutôt pathétique.

Elle rougit légèrement.

— Je serai bientôt une vieille femme. Nous pourrions être pathétiques ensemble... Non ! Ne partez pas ! Nous pourrons... bavarder. Nous n'avons encore jamais vraiment bavardé ensemble.

— Nous n'avons jamais fait que cela, rétorqua-t-il.

Cependant, il ne s'en alla pas. Il la laissa le conduire jusqu'au sofa, s'asseoir près de lui, lui parler de Somerset et de sa femme, des dix-neuf années de discrétion et de tromperies. La main de Nancy reposait dans la sienne. Tout en l'écoutant, il se rappela la première fois où il lui avait tenu la main et ce qu'elle avait dit quand il l'avait gardée une seconde de trop. Elle se leva enfin. Il l'imita et porta la main de Nancy à ses lèvres.

— Je vous souhaite d'être heureuse. J'espère même que vous serez très heureuse.

— J'ai un peu peur, vous savez, de ce que notre union va pouvoir donner après tant d'années. Vous comprenez ce que je veux dire ?

— Bien sûr.

Il parlait avec douceur, toute humeur disparue et quand elle lui proposa un verre, il répondit :

— Je le boirai à vous et à votre bonheur.

Il lui entoura le cou de ses bras, elle l'embrassa impulsivement. Un baiser léger, rapide, auquel il n'eut guère le temps de répondre ou de résister. Elle s'absenta de la pièce quelques minutes, bien plus qu'il n'était nécessaire pour aller chercher des verres et des boissons. Il entendit le bruit de ses pas au-dessus de sa tête et essaya d'imaginer comment elle serait lorsqu'elle redescendrait. Il devait se décider tout de suite : partir ou rester ; cueillir les roses de la vie pendant qu'il le pouvait encore ou se comporter en vieil homme se contentant de rêves et respectueux de ses vœux de mariage.

Il sortit dans le couloir et appela : *Nancy !*, employant ce prénom pour la première fois. Arrivé au pied de l'escalier, il la vit sur le palier.

Il leva vers elle un regard émerveillé, demeura de longues minutes à l'admirer mais sa décision était déjà prise.

Inutile de s'attarder sur le passé pour regretter l'occasion repoussée ou songer avec nostalgie aux délices acceptées. Wexford ne regrettait rien, n'ayant fait que ce que tout homme aurait fait à sa place.

En rentrant chez lui, il fut cependant étonné de s'apercevoir qu'il était déjà près de 8 heures et, à ce rappel de la fuite du temps, il se remit à compter, calculant qu'il ne lui restait que trois mille cinq cents minutes. Le visage de Nancy s'estompa, son rayonnement disparut. Il entra dans la cuisine où Dora préparait une autre fournée de vol-au-vent et demanda abruptement :

— Howard a-t-il appelé ?

Elle leva les yeux. Il avait oublié — il oubliait toujours — qu'elle avait des antennes.

— Il ne téléphonerait pas à cette heure, voyons ! Avec lui, c'est très tard le soir ou très tôt le matin.

— Oui, je sais, mais je suis énervé par cette affaire.

— Je le vois bien, tu as oublié de m'embrasser.

Il répara son oubli et le passé récent fut enterré. Pas de regrets, se rappela-t-il, ni de nostalgie ni d'introspection.

Prenant un vol-au-vent, il mordit dans la croûte croquante et chaude.

— Tu vas devenir gros, gras et répugnant.

— Peut-être ne serait-ce pas une mauvaise chose, dit-il pensivement. A condition de ne pas exagérer, bien sûr.

XX

La fille de Wexford, Sheila, était actrice. Elle arriva le samedi matin. Son père lui dit que cela faisait plaisir de la voir en chair et en os, plutôt qu'en deux dimensions dans son feuilleton télévisé. Elle s'agita à travers la maison, disposant les cartes de vœux d'une manière plus artistique et chantant qu'elle rêvait d'un Noël blanc. S'il fallait en croire les prévisions météorologiques, il semblait pourtant que l'on s'acheminait vers un Noël brumeux. A midi le soleil fut voilé par un brouillard qui devint épais et jaunâtre le soir.

Le jour le plus court de l'année. Le solstice d'hiver. Dès 15 heures, le brouillard estompait la lumière du jour. Dix-sept heures d'obscurité et plus que trente-six heures avant le départ de Robert...

Howard avait promis de téléphoner et il le fit à 22 heures. Hathall était resté seul au 62 Darmeet Avenue, depuis 3 heures de l'après-midi. Howard appelait d'une cabine téléphonique située en face de la maison et s'apprêtait à rentrer. Six nuits de guet qui n'avaient rien donné et une en supplément ce soir-là parce qu'il ne supportait pas d'être battu.

— Je recommencerai encore demain pour la dernière fois, Reg.

— Est-ce vraiment utile ?

— J'aurai au moins la satisfaction d'avoir fait tout mon possible.

Hathall était demeuré seul la plus grande partie de la journée. Cela signifiait-il que sa compagne l'avait précédé à l'étranger ? Wexford se mit tôt au lit mais resta éveillé. Il se demandait ce qu'il aurait pu faire d'autre et ce qui se serait passé si, le 2 octobre, un an auparavant, Griswold n'avait pas opposé son veto à la poursuite de l'enquête.

Wexford avait entretenu le vague espoir que le brouillard contraindrait Hathall à retarder son départ mais le dimanche matin, le brouillard commençait a se lever et à midi le soleil brillait de tout son éclat. Il écouta les nouvelles à la radio, mais aucun aéroport n'était fermé, aucun vol annulé. Et quand, au soir, il y eut un coucher de soleil radieux dans le ciel sans nuages, Wexford comprit qu'il devait se résigner à voir Hathall lui échapper. C'était fini.

Il ne put s'empêcher d'éprouver des regrets et de l'amertume en pensant à cette longue période durant laquelle Hathall et lui avaient été adversaires. Les choses auraient pu tourner différemment s'il avait pensé plus tôt à cette escroquerie aux salaires. Mais y avait-il eu escroquerie ? Il aurait dû savoir aussi qu'un paranoïaque ne resterait pas sans réagir à l'interrogatoire maladroit auquel il l'avait soumis et qui impliquait sa culpabilité. Malheureusement, tout était terminé à présent et il ne connaîtrait jamais l'identité de cette femme.

Il songea avec tristesse que d'autres questions demeureraient sans réponse. Pourquoi le livre sur les langues celtiques se trouvait-il à Bury Cottage ? Pourquoi Hathall, qui s'était mis à apprécier la diversité dans les relations sexuelles, avait-il repoussé les avances d'une femme telle que Nancy Lake ? Pourquoi sa complice, si soigneuse et si consciencieuse à bien des égards, avait-elle laissé cette empreinte de sa main sur le côté de la baignoire ? Et pourquoi Angela, soucieuse de se réconcilier avec sa belle-mère, portait-elle, le jour de sa visite, les vêtements qui avaient contribué à lui valoir d'emblée l'antipathie de Mrs Hathall ?

A cet ultime stade de l'affaire, il ne vint pas à l'idée de Wexford que son neveu pût désormais arriver à un résultat quelconque. Robert Hathall avait l'habitude de rester chez lui le dimanche et d'y recevoir sa mère ou sa fille. Bien qu'il leur eût déjà fait ses adieux, rien ne permettait de supposer qu'il changerait ses habitudes en ce dernier dimanche pour aller voir sa maîtresse, alors qu'ils partaient ensemble le lendemain. Aussi, lorsque Wexford décrocha le téléphone à 23 heures et entendit la voix de Howard, il crut que celui-ci l'appelait pour lui préciser à quelle heure Denise et lui arriveraient la veille de Noël. Lorsqu'il comprit la véritable raison de l'appel, à savoir que son neveu avait été sur le point de réussir dans sa tâche, il éprouva une sorte de désespoir mêlé d'écœurement. Maintenant qu'il était trop tard, il ne voulait pas qu'une fausse joie vienne troubler sa résignation.

— Tu l'as vue ? dit-il d'une voix morne. Tu l'as réellement vue ?

— Je sais ce que tu ressens, Reg, mais il me fallait te mettre au courant. Je ne pouvais pas garder ça pour moi. Je l'ai vu *lui*, je l'ai vue, *elle*, je les ai vus *ensemble* et malheureusement, je les ai ensuite perdus.

— Ça, c'est le comble !

— J'ai fait de mon mieux...

— Je ne t'en veux pas. Non, j'en veux... au destin. Dis-moi ce qui s'est passé.

— J'ai fait le guet devant la maison de Darmeet Avenue après le déjeuner. J'ignorais si Hathall se trouvait chez lui ou non, mais à un moment, il est sorti mettre un grand sac plein de déchets dans une des poubelles. Il devait faire ses valises et se débarrasser de ce qu'il ne voulait pas emporter. J'ai attendu encore dans la voiture, et j'ai failli laisser tomber quand j'ai vu la lumière s'allumer dans sa chambre à

16 h 30... J'aurais peut-être mieux fait de rentrer. Cela m'aurait évité de te donner de faux espoirs. Il est sorti de chez lui à 18 heures et a marché jusqu'à West End Green. Je l'ai suivi en voiture et me suis garé dans Mill Lane, une rue qui longe Fortune Green Road. Nous avons tous deux attendu pendant près de cinq minutes. Le bus 28 tardant à venir, il a pris un taxi.

— Et tu l'as suivi ? s'exclama Wexford, l'admiration estompant un instant son amertume.

— Il est plus facile de suivre un taxi qu'un autobus. Les bus s'arrêtent tout le temps. Et puis suivre un taxi à Londres un dimanche soir est tout autre chose que de le faire en plein jour aux heures de pointe. Bref, le chauffeur de taxi a emprunté à peu près le même trajet que le bus et il a déposé Hathall devant un pub de Pembridge Road.

— Près de l'arrêt où tu l'avais vu prendre le 28 l'autre fois ?

— Oui. Je m'étais promené dans les rues autour de cet arrêt presque chaque soir de la semaine, Reg, mais il a dû passer par une rue derrière pour se rendre de la station de Notting Hill Gate à chez elle, car je ne l'avais pas vu une seule fois.

— Tu es entré dans le pub après lui ?

— Oui. Ça s'appelle *The Rosy Cross* et c'était bourré de monde. Il a commandé deux verres, un gin pour lui et du Pernod pour elle bien qu'elle ne fût pas encore là. Il a réussi à trouver deux places dans un coin et il en a gardé une en posant son manteau sur le siège. La plupart du temps la foule m'empêchait d'avoir l'œil sur lui mais je voyais le verre de Pernod sur la table.

» Hathall était en avance ou bien elle avait dix minutes de retard. J'ai su qu'elle était là en voyant une main saisir le verre. J'ai joué des coudes pour me rapprocher d'eux. C'était bien la femme que j'avais remarquée en sa compagnie devant *Marcus Flower*, une jolie femme dans les trente ans, aux cheveux blonds coupés court. Non, ne pose pas la question : je n'ai pas vu sa main. M'approcher davantage eût été dangereux. Je pense d'ailleurs qu'il m'a reconnu. Bon sang ! il aurait fallu qu'il fût aveugle pour ne pas l'avoir fait malgré les précautions que j'avais prises.

» Ils ont vidé leur verre assez vite et ils sont sortis en se frayant un chemin au milieu des clients. Elle doit habiter très près de là, mais où exactement, je ne saurais le dire. De toute façon, cela n'a guère d'importance, maintenant. Ils s'éloignaient à pied quand je suis sorti. Je m'apprêtais à les filer mais un taxi est passé et ils ont sauté dedans. Hathall s'y est engouffré avant même de donner l'adresse au chauffeur pour ne pas courir le risque d'être suivi. Le taxi a foncé dans Pembridge Road et je l'ai vite perdu de vue. Il ne me restait plus qu'à rentrer...

» C'est fini, Reg. Tu avais raison sur toute la ligne et ce sera, je le crois, ta seule consolation dans cette affaire.

Wexford souhaita une bonne nuit à son neveu. Un avion vrombit dans le ciel. Il venait de Gatwick. Debout près de la fenêtre de sa chambre à coucher, Wexford vit des lumières blanches et rouges traverser le ciel étoilé, tels des météores. Plus que quelques heures avant que Hathall et sa compagne se trouvent à bord d'un appareil semblable. Partiraient-ils tôt le matin ? L'après-midi ? Ou bien avaient-ils retenu leurs places pour un vol de nuit ?

L'inspecteur principal se rendit compte qu'il était très peu au courant des formalités d'extradition, faute d'expérience. Et vu l'actuel contexte international, un pays marchanderait, exigerait des concessions ou une contrepartie quelconque avant d'extrader un étranger. En outre, si on pouvait faire une demande d'extradition à l'encontre d'un meurtrier lorsqu'on avait des preuves irréfutables, il en allait tout autrement pour l'escroquerie. Et il parut invraisemblable à Wexford qu'on mît en branle tout l'appareil politique pour extrader du Brésil un homme ayant puisé dans la caisse d'une fabrique de poupées en plastique !

L'avant-veille de Noël.

Wexford s'éveilla tôt, tout comme Hathall avait dû le faire lui aussi. Il devait se douter qu'on le filait toujours et n'avait sûrement pas osé passer la nuit chez sa maîtresse ni la faire venir chez lui. Maintenant, il se lavait à l'évier de sa misérable chambre, sortait ensuite un complet de l'armoire puis se rasait. Wexford voyait, comme s'il y était, le visage de granit rose irrité par le feu du rasoir et le peigne mouillé lissant en arrière une chevelure qui se dégarnissait. En ce moment, Hathall devait jeter un dernier regard à la cellule de trois mètres sur trois mètres soixante où il avait vécu neuf mois durant et savourer par anticipation le foyer qui allait bientôt être le sien. « Ah ! le voilà qui sort, se dit-il, se dirige vers la cabine téléphonique et appelle l'aéroport pour vérifier son vol. Mal embouché comme il est, il doit s'en prendre à l'hôtesse parce qu'elle n'est pas assez rapide ou aimable à son gré. Ensuite, il va téléphoner à ''elle'', quelque part dans le labyrinthe de Notting Hill... Non, il compose d'abord le numéro d'une station de taxis ou d'une agence de location de voitures, pour demander qu'on lui envoie un véhicule qui l'emportera au loin avec ses bagages et pour toujours... »

« Assez ! se tança Wexford. Laisse tomber ! C'est ainsi qu'on devient fou ou qu'on fait tout au moins une dépression nerveuse. Noël approche, va au travail, oublie Hathall ! »

Il porta une tasse de thé à Dora puis s'en fut au commissariat. Une fois dans son bureau, il dépouilla le courrier et s'amusa à fixer des cartes de Noël sur un des murs. Il y en avait une de Nancy Lake. Il la contempla quelques secondes puis la fourra dans son tiroir. Pas moins de cinq calendriers étaient arrivés, dont l'un du genre *nus artistiques* sur papier glacé, cadeau d'un garage local. Il choisit un beau calendrier avec douze photos en couleurs représentant des vues du Sussex et le fixa au mur à côté de la carte du district. Il mit ensuite le cadeau du garage dans une enveloppe, marqua dessus *Pour vos yeux uniquement* et la fit porter au bureau de Burden. Cela ne manquerait pas de déchaîner celui-ci contre l'amoralité actuelle et cette réjouissante perspective l'arracha momentanément à son obsession.

Il porta ensuite son attention vers les affaires en cours. Cinq femmes en ville et deux dans les villages avoisinants s'étaient plaintes qu'on leur avait téléphoné des obscénités. Le plus curieux de l'histoire, c'était que leur correspondant appartenait au sexe faible. Wexford ne put s'empêcher de sourire en songeant que la libération de la femme prenait parfois une étrange tournure.

On l'appelait sur sa ligne intérieure.

— L'inspecteur Lovat désire vous voir, monsieur. Dois-je le faire monter ?

XXI

Lovat entra lentement et avec lui son inévitable interprète, le sergent Hutton.

— Belle journée.

— La peste soit de la journée ! grommela Wexford. Je me moque pas mal de la journée ! Je souhaite qu'il y ait une tempête de neige, je souhaite...

— Pouvons-nous nous asseoir un instant, monsieur ? l'interrompit posément Hutton. L'inspecteur Lovat a quelque chose à vous dire qu'il estime du plus haut intérêt pour vous. De plus, comme c'est vous qui l'aviez mis sur cette affaire, il a jugé que la courtoisie la plus élémentaire exigeait qu'il vous rende visite.

— Asseyez-vous, faites comme il vous plaira, prenez un calendrier, ou mieux, prenez-en un chacun. Auparavant, dites-moi seulement une chose : ce que vous avez découvert permet-il d'extrader un homme ? Sinon, c'est raté. Hathall part aujourd'hui pour le Brésil et il y a neuf chances sur dix pour qu'il se soit déjà envolé.

— Ah ! fit simplement Lovat.

Wexford fut sur le point de se prendre la tête à deux mains.

— Eh bien ! Pourrez-vous l'extrader ? s'écria-t-il.

— Je ferais mieux de vous rapporter d'abord ce que Mr Lovat a découvert, monsieur, dit Hutton. Nous nous sommes rendus au domicile de Mr et Mrs Kingsbury hier soir. Ils venaient de rentrer. Ils étaient simplement allés voir leur fille qui avait eu un enfant. Mrs Mary Lewis n'a jamais habité chez eux et ils n'ont jamais eu aucun rapport avec *Kidd*. De plus, en poussant l'enquête à l'hôtel dont Mr Lovat vous avait parlé, il n'a pu trouver aucune preuve de l'existence de l'autre prétendue bénéficiaire de compte.

— Eh bien ! Vous avez obtenu un mandat d'amener contre Hathall ?

— Mr Lovat aimerait s'entretenir avec lui, monsieur, répondit prudemment Hutton. Vous conviendrez, j'en suis sûr, qu'il nous faut en savoir un peu plus pour aller de l'avant. Outre, euh... la visite de courtoisie, nous sommes ici pour connaître l'adresse actuelle de Hathall.

— Son adresse actuelle, glapit Wexford, doit être à huit mille mètres au-dessus de Madère ou Dieu sait où !

— C'est dommage, fit Lovat en secouant la tête.

— Peut-être n'est-il pas encore parti, monsieur ? Pourrions-nous lui téléphoner ?

— Pour cela, il faudrait qu'il eût le téléphone et ce n'est pas le cas.

Wexford regarda la pendule avec désespoir : 10 h 30 !

— Franchement, je ne sais que faire. La seule chose que je puisse suggérer est que nous allions à Millerton exposer toute l'affaire au commissaire principal.

— Bonne idée, approuva Lovat.

Il ne sut jamais ce qui l'avait poussé à poser la question. Certainement pas son sixième sens. Peut-être avait-il simplement voulu connaître tous les éléments de l'escroquerie aussi bien que Lovat ou Hutton. Plus tard, il remercia le ciel de l'avoir posée tandis qu'ils roulaient sur le chemin vicinal conduisant à Millerton.

— Les adresses des deux comptes douteux, monsieur ? L'un était au nom de Mrs Dorothy Carter, Ascot House, à Myringham — ça, c'est l'hôtel —, et l'autre au nom de Mrs Mary Lewis, 19 Maynnot Way, à Toxborough.

— Vous avez bien dit Maynnot Way ?

— Oui, cette route va de la zone industrielle jusqu'à...

— Je sais où elle aboutit, sergent. Je sais aussi qui

vivait à Maynnot Hall, au milieu de Maynnot Way.

Il sentit comme une boule dans sa gorge.

— Lovat, qu'alliez-vous faire chez *Kidd* le jour où nos voitures se sont croisées à l'entrée de la fabrique ?

Lovat lança un regard à Hutton et celui-ci dit :

— Mr Lovat poursuivait son enquête sur la disparition de Morag Grey, monsieur. Cette femme a travaillé un court laps de temps chez *Kidd* pendant que son mari était jardinier à Maynnot Hall. Nous avons naturellement voulu explorer toutes les voies s'offrant à nous.

— Vous n'avez pas été suffisamment loin dans celle qu'offrait Maynnot Way.

Wexford faillit avoir le souffle coupé par l'énormité de sa découverte. « Ma chimère, se dit-il, le produit de mon imagination ! »

— Votre Morag Grey, reprit-il à haute voix, n'est enterrée dans aucun jardin. C'est la petite amie de Robert Hathall. Elle part avec lui au Brésil. Mon Dieu, je vois tout clairement... Ecoutez : cette Morag Grey a été la complice de Hathall dans l'affaire d'escroquerie. Il l'avait rencontrée quand tous deux travaillaient chez *Kidd*. La femme de Hathall et elle étaient chargées d'opérer les prélèvements sur les comptes. Sans doute a-t-elle imaginé le nom et l'adresse de Mrs Mary Lewis parce qu'elle connaissait Maynnot Way et n'ignorait pas que les Kingsbury louaient des chambres. Hathall est tombé amoureux d'elle et elle a assassiné sa femme. Elle n'est pas morte, Lovat, elle vivait à Londres en tant que maîtresse de Hathall depuis... Au fait, quand a-t-elle disparu ?

— En août ou en septembre de l'année dernière, pour autant que nous le sachions, monsieur, répondit le sergent en arrêtant la voiture devant Hightrees Farm.

— Il serait déplorable pour la réputation du Sussex que Robert Hathall puisse filer.

Telle fut l'opinion émise par Charles Griswold au grand étonnement de Wexford, qui avait vu le visage du commissaire principal rougir légèrement lorsqu'il avait dû convenir que l'hypothèse de Wexford était plausible.

— C'est un peu plus qu'un « sentiment », Reg, dit-il avant d'aller personnellement téléphoner à l'aéroport de Londres.

Wexford, Lovat et Hutton attendirent son retour un bon bout de temps. Lorsqu'il revint enfin, ce fut pour leur annoncer que Robert Hathall et une femme voyageant sous le nom de Mrs Hathall figuraient sur la liste des passagers du vol de 12 h 45 à destination de Rio de Janeiro. La police de l'aéroport avait reçu pour instructions de les retenir sous l'inculpation de détournement de fonds et un mandat d'amener allait être lancé sur-le-champ.

— Elle doit utiliser le passeport d'Angela, dit Wexford. Il l'avait encore. Je me rappelle y avoir jeté un coup d'œil, à Bury Cottage, mais on le lui avait laissé.

— Ne soyez pas amer, Reg. Mieux vaut tard que jamais.

— Monsieur, remarqua Wexford très poliment mais avec une pointe d'agacement dans la voix, il est 11 h 40. J'espère que nous arriverons à temps.

— Oh ! maintenant, il ne quittera pas le pays, rétorqua Griswold avec désinvolture. Ils l'arrêteront à l'aéroport où vous allez vous rendre tout de suite. Tout de suite, vous m'entendez, Reg ? Et demain matin, vous viendrez prendre un verre pour fêter Noël, et vous en profiterez pour tout me raconter.

Ils retournèrent tous trois à Kingsmarkham pour y

prendre Burden. Ils le trouvèrent en train de demander à un sergent interloqué qui avait eu l'effronterie de lui adresser des photos pornographiques.

— Arrêter Hathall ? s'étonna-t-il quand Wexford se fut brièvement expliqué. Ce n'est pas sérieux. Vous plaisantez ?

— Montez dans la voiture, Mike, et je vous raconterai cela en route. Ou plutôt, le sergent Hutton s'en chargera. Mais qu'avez-vous donc là ? Des photos artistiques ? Je comprends maintenant pourquoi vous avez besoin de lunettes.

Burden faillit s'étrangler de rage et voulut se lancer dans une longue explication de son innocence mais Wexford l'interrompit net. Il n'avait plus besoin de diversion à présent. Il avait attendu ce moment pendant quinze mois et il lui venait des envies de clamer son triomphe au ciel bleu et au soleil quasi printanier. Ils partirent dans deux voitures, Lovat, son chauffeur et Polly dans la première, Wexford, Burden, le sergent Hutton et un chauffeur dans la seconde.

— Dites-nous tout ce que vous savez sur Morag Grey, sergent.

— Elle était... pardon, elle est écossaise, monsieur, d'Ullapool, au nord-ouest de l'Ecosse. Comme il n'y a pas beaucoup de travail là-bas, elle est venue en Angleterre où elle s'est placée comme domestique. Elle a rencontré Grey et l'a épousé, puis tous deux ont trouvé un emploi à Maynnot Hall.

— Lui s'occupait du jardin et elle, du ménage, n'est-ce pas ?

— Oui. J'ignore exactement pourquoi, car elle semble être d'un niveau qui lui aurait permis de faire autre chose. Si l'on en croit sa mère et son employeur à Maynnot Hall, elle avait reçu une assez bonne éducation et paraissait très éveillée. Sa mère prétend que Grey l'a rabaissée à son propre niveau.

— Comment est-elle ?

— Elle doit avoir dans les trente-deux ans, mince, les cheveux noirs, aucun signe particulier. Elle assurait l'entretien de la maison et faisait d'autres ménages ailleurs. Elle a travaillé notamment chez *Kidd*, il y a eu un an en mars dernier, mais elle n'y est restée que deux ou trois semaines, et quand son mari fut congédié pour avoir pris deux livres cinquante dans le sac à main de la femme de son patron, tous deux durent quitter l'appartement qu'ils occupaient et vivre en squatters dans la vieille ville. Mais peu après, elle mettait son mari à la porte parce qu'elle avait découvert la raison de son renvoi et ne voulait pas vivre avec un voleur. Ça paraît un peu tiré par les cheveux, ne trouvez-vous pas, monsieur ? Grey n'a cependant pas voulu démordre de cette histoire, bien qu'il soit allé aussitôt s'installer chez une autre femme qui occupait une chambre à quinze cents mètres de là, de l'autre côté de Myringham.

— Vu les circonstances, l'histoire ne paraît guère plausible, opina pensivement Wexford.

— Grey affirme avoir dépensé l'argent volé pour acheter un cadeau à sa femme : un collier doré en forme de serpent. Ce qui est peut-être vrai mais ne prouve pas grand-chose.

— Je ne dirais pas cela, sergent. Que lui est-il arrivé lorsqu'elle s'est retrouvée seule ?

— Nous savons très peu de chose à ce sujet. Les squatters constituent une population vagabonde et n'ont pas vraiment de voisins. Elle a fait des ménages jusqu'en août puis s'est inscrite au chômage. Tout ce que nous avons appris, c'est qu'elle avait dit à une voisine avoir une bonne place en vue et qu'elle comptait partir. En quoi consistait cet emploi et où allait-elle ? Nous ne l'avons jamais découvert. Personne ne l'a plus vue après la mi-septembre. Grey est revenu à

Noël et a emporté tout ce qu'elle avait laissé derrière elle.

— N'avez-vous pas dit que c'était la mère de Morag qui avait alerté la police ?

— Elle entretenait une correspondance régulière avec sa fille et quand elle n'a plus reçu de réponse aux lettres qu'elle lui adressait, elle a écrit à son gendre. Ce dernier a trouvé les lettres en retournant là-bas à Noël et a fini par écrire à sa belle-mère une histoire à dormir debout. La belle-mère, qui n'avait jamais eu confiance en lui, s'est adressée à la police. Elle est venue ici et nous avons dû avoir recours aux services d'un interprète car, croyez-le ou non, elle ne parlait que le gaélique.

Wexford qui, pour l'instant, se sentait prêt à croire possibles les choses les plus invraisemblables demanda :

— Est-ce que Morag connaît aussi... euh, le gaélique ?

— Oui, monsieur. Elle est bilingue.

L'inspecteur principal se laissa aller contre le dossier de la banquette en poussant un soupir. Il restait quelques faits à relier, d'autres à expliquer, mais à part cela... Il ferma les yeux. La voiture roulait lentement, et sans se donner la peine de regarder, il se demanda si c'était parce que la circulation devenait difficile à l'approche de Londres. Aucune importance. A l'heure actuelle, Hathall devait être retenu dans quelque bureau de l'aéroport. Et, même si on ne lui avait donné aucune explication, il devait se douter que c'était cuit. La voiture était pratiquement arrêtée. Wexford ouvrit les yeux. Il eut alors l'explication : le brouillard était si dense qu'on ne voyait pas le capot de la voiture.

XXII

Il était près de 16 heures lorsqu'ils arrivèrent à l'aéroport. Tous les appareils étaient bloqués au sol et les voyageurs partant pour Noël emplissaient les salles d'attente tandis que des queues se formaient devant les bureaux de renseignements.

Le brouillard avait commencé à s'abattre sur Heathrow à 11 h 30 mais il avait affecté d'autres parties de Londres beaucoup plus tôt. Hathall faisait-il partie de ces centaines de voyageurs qui avaient téléphoné pour demander si leur vol était annulé ou non ? Pas moyen de le savoir. Wexford traversa lentement les salles d'attente, scrutant les visages, visages fatigués, indignés, ennuyés.

Hathall n'était pas là.

— La météo annonce que le brouillard se lèvera dans la soirée, dit Burden.

— Et les prévisions à plus long terme nous promettent un Noël blanc et brumeux. Polly et vous allez rester là, Mike. Contactez le commissaire principal et faites en sorte que toutes les sorties soient surveillées.

Burden et Polly restèrent donc là, tandis que Wexford, Lovat et Hutton entreprenaient une longue course en voiture jusqu'à Hampstead. On n'avançait que très lentement. Des flots de voitures bloquaient toutes les routes nord-ouest tandis que le brouillard s'appesantissait sur la ville. Hampstead était dans la purée de pois et les grands arbres se profilaient comme des nuages noirs avant de se fondre dans une vapeur plus pâle. Ils atteignirent enfin Darmeet Avenue à 18 h 50 et s'arrêtèrent devant le numéro 62. L'immeuble était plongé dans l'obscurité, toutes fenêtres fermées, rideaux tirés. Les poubelles étaient mouillées par la condensation du brouillard, et les couvercles éparpillés sur le trottoir. Un chat fila sous l'une d'elles, un os de poulet dans la gueule. Wexford s'extirpa de la voiture, alla à la porte d'entrée et sonna chez le logeur.

Il dut s'y reprendre à deux fois avant qu'une lumière n'apparaisse à travers l'imposte surmontant la porte, puis le même petit homme âgé qu'il avait déjà vu une fois avec son chat, lui ouvrit enfin. Il fumait un petit cigare et ne manifesta aucune surprise lorsque l'inspecteur principal exhiba sa carte.

— Mr Hathall est parti hier.

— Hier soir ?

— Oui. A dire vrai, je ne pensais pas qu'il nous quitterait avant ce matin car il a payé sa chambre jusqu'à aujourd'hui. Mais hier soir il est venu en vitesse m'annoncer qu'il partait.

Le vestibule était glacial malgré le radiateur à pétrole placé au bas de l'escalier. Lovat se frotta les mains, puis les tendit au-dessus des flammes bleues et jaunes.

— Mr Hathall est arrivé hier soir vers 8 heures, précisa le logeur. J'étais dans le jardin pour appeler mon chat. Il m'a dit vouloir quitter sa chambre séance tenante.

— Comment était-il ? Soucieux ? Bouleversé ? s'enquit vivement Wexford.

— Non, comme d'ordinaire. Il n'était jamais bien aimable. Toujours à ronchonner. Nous sommes montés procéder à l'inventaire, comme je le fais avec mes locataires avant de leur rendre leur caution. Voulez-vous jeter un coup d'œil ? Il n'y a rien à voir mais si ça vous chante...

Wexford fit signe que oui et ils s'engagèrent dans

l'escalier. L'éclairage du couloir et du palier était réglé par une minuterie qui coupait le courant au bout de deux minutes. C'est ce qui se produisit avant qu'ils arrivent devant la chambre de Robert. Le logeur pesta, cherchant ses clés et l'interrupteur dans l'obscurité la plus totale. Wexford étouffa une exclamation lorsque quelque chose se déplaça sur la rampe de l'escalier et sauta sur l'épaule du logeur. C'était le chat, bien entendu. La lumière revint enfin.

La pièce était glaciale et sentait le moisi. Wexford vit Hutton faire la moue en contemplant l'armoire datant de la Première Guerre mondiale, les sièges « coin du feu » et les affreux tableaux. Des couvertures peu épaisses et pliées sans soin étaient posées sur le matelas nu à côté de couteaux et de fourchettes en nickel retenus par un élastique, une bouilloire à la poignée bloquée par une ficelle et un vase en plâtre portant encore à la base l'étiquette indiquant son prix.

— Je me doutais qu'il y avait quelque chose de louche à son sujet, vous savez, lança le propriétaire.

— Ah ! Qu'est-ce qui vous le donnait à croire ?

L'homme gratifia Wexford d'un sourire plutôt dédaigneux.

— D'abord, je vous ai déjà vu ici et je flaire un flic à un kilomètre. Ensuite, il y avait toujours des types qui le surveillaient. J'avais repéré le petit gars aux cheveux carotte — il m'a fait rire celui-là lorsqu'il est venu me trouver en prétendant appartenir à la municipalité — et le grand maigre qui était toujours dans une voiture.

— Vous devez donc savoir, rétorqua Wexford ravalant son humiliation, pourquoi on le surveillait.

— Oh non ! Il n'a jamais rien fait de répréhensible ici. Il allait et venait, prenait le thé avec sa mère et rouspétait toujours lorsqu'il payait le loyer.

— Il n'a jamais fait venir d'autre femme ici ? Une blonde aux cheveux coupés court ?

— Certainement pas. Il n'a reçu ici que sa mère et sa fille. Il m'avait dit lui-même qui elles étaient et je présume que c'était vrai, car toutes deux étaient son portrait crache. Viens, minet, retournons au chaud.

Arrivé à l'endroit où Hathall avait été sur le point de lui faire dégringoler l'escalier, Wexford s'enquit avec lassitude :

— Vous lui avez rendu l'argent de la caution, bien entendu, et il est parti. A quelle heure était-ce, hier soir ?

— 9 heures environ. Il s'en allait quelque part à l'étranger. Il avait des tas d'étiquettes sur ses valises, mais je n'ai pas regardé de près. J'aime voir ce qu'ils font et les avoir à l'œil jusqu'à ce qu'ils quittent les lieux. Il a traversé la rue pour aller téléphoner, puis un taxi est venu le prendre.

Ils descendirent dans le vestibule malodorant. La lumière s'éteignit de nouveau mais cette fois le logeur se garda bien de rallumer et referma la porte derrière eux très vite pour empêcher le brouillard de pénétrer à l'intérieur.

— Il aurait très bien pu traverser la Manche hier soir, dit Wexford à Lovat, et prendre l'avion à Bruxelles, Amsterdam ou Paris.

— Mais pourquoi l'aurait-il fait ? objecta Hutton. Pourquoi aurait-il pensé que nous cherchions à l'appréhender après tout ce temps ?

A ce stade, Wexford ne voulut pas leur avouer qu'il avait mis Howard sur le coup. Cependant, il avait brusquement compris dans la pièce froide et déserte ce qui s'était produit. Hathall avait vu Howard vers 19 heures, avait reconnu en lui l'homme qui le filait et réussi à lui fausser compagnie. Le taxi avait déposé la femme puis avait ramené Hathall à Darmeet Avenue, où il avait payé le logeur et pris ses bagages pour s'en aller. S'en aller où ? Chez elle d'abord et ensuite ?...

L'inspecteur principal haussa tristement les épaules puis traversa la route en direction de la cabine téléphonique.

La voix de Burden lui répondit que l'aéroport était encore plongé dans le brouillard, fourmillant de voyageurs déçus et de policiers anxieux. Hathall ne s'était pas manifesté et s'il avait téléphoné, il l'avait fait sans indiquer son nom.

— Mais il sait que nous sommes à sa recherche, ajouta Burden.

— Comment cela ? Que voulez-vous dire ?

— Vous vous souvenez d'un certain Aveney ? Directeur chez *Kidd* ?

— Evidemment que je me souviens de lui.

— Eh bien ! Figurez-vous que Hathall lui a téléphoné à son domicile hier soir, vers 9 heures, pour s'enquérir d'une façon plus ou moins détournée si nous ne lui avions pas posé des questions à son sujet. Et cet imbécile d'Aveney a répondu qu'il n'avait pas été question de la mort d'Angela, que nous voulions seulement jeter un coup d'œil sur les livres de comptes.

— Et comment avons-nous appris tout cela ?

— Aveney a réfléchi après coup et il s'est dit qu'il avait peut-être eu tort de bavarder. Il a cherché à vous joindre durant la matinée mais, n'y parvenant pas, il a contacté Mr Griswold.

C'était donc à Aveney que Hathall avait téléphoné de cette même cabine après avoir pris congé de son logeur et avant de sauter dans un taxi. Ce qu'il avait appris alors, s'ajoutant au fait qu'il avait reconnu Howard, l'avait affolé.

Wexford retraversa la route et monta dans la voiture où Lovat fumait une de ses mauvaises cigarettes.

— Je crois que le brouillard commence à devenir moins épais, monsieur, dit Hutton.

— Peut-être. Quelle heure est-il ?

— 19 h 50. Que faisons-nous à présent ? Nous retournons à l'aéroport ou bien nous cherchons le domicile de Morag Grey ?

— Il y a neuf mois que je m'efforce de le localiser, sergent, mais sans résultat. Et vous pensez faire mieux en deux heures ?

— Nous pourrions tout au moins revenir par Notting Hill, monsieur, au lieu de prendre le périphérique Nord.

— Oh ! Faites donc ce que vous voudrez, répondit Wexford sur un ton cassant.

Et il s'écarta le plus possible de Lovat et de sa cigarette, laquelle sentait aussi mauvais que le cigare du logeur.

« Ce ne sont que des flics de cambrousse, pensa-t-il injustement. Hutton s'imagine que c'est quoi, Notting Hill ? Un village comme Passingham St. John où tout le monde se connaît et s'émeut dès qu'un voisin déménage ? »

Ils suivirent le trajet du bus 28 : West End Lane, Quex Road, Kilburn High Road, Kilburn Park... Le brouillard diminuait à présent et se déplaçait. A certains endroits, il stagnait en plaques denses, à d'autres il s'effilochait, laissant percer les couleurs de Noël : guirlandes de papier aux tons vifs dans les vitrines, et petites lumières étoilées clignotantes. Shirland Road, Great Western Road, Pembridge Villas, Pembridge Road...

« Un de ces noms, se dit Wexford en se redressant, doit correspondre à l'arrêt où Howard a vu Hathall prendre le bus 28. » Des ruelles débouchaient partout, menant à d'autres rues, à des places, des...

— Arrêtez ! dit-il brusquement.

Une lumière rose ruisselait sur la chaussée. Elle provenait des portes vitrées d'un pub, *The Rosy Cross*. Si Hathall et sa compagne se rencontraient souvent là, peut-être le gérant ou un barman se souviendraient-ils d'eux. Peut-être s'y étaient-ils retrouvés encore la veille avant de partir...

A l'intérieur, c'était une débauche de lumière, de bruit et de fumée. D'habitude, ce n'est que beaucoup plus tard qu'on voit une telle affluence et une telle gaieté dans ce genre de lieu mais on était l'avant-veille de Noël. Chaque table, chaque tabouret de bar et chaque mètre carré du plancher était occupé. Les gens se serraient les uns contre les autres. De leurs cigarettes montaient des spirales de fumée qui allaient se perdre dans le nuage bleu flottant entre les guirlandes de papier. Wexford se fraya un chemin jusqu'au bar. Deux barmen et une jeune femme y servaient fébrilement à boire, essuyaient le comptoir et balançaient les verres sales dans un évier fumant.

— Qu'est-ce que ce sera ? cria le plus âgé des deux hommes.

— Police, dit Wexford. Je recherche un homme grand, brun, dans les quarante-cinq ans et une jeune femme blonde, aux cheveux coupés court.

Quelqu'un lui bouscula le coude et il sentit un filet de bière couler sur son poignet.

— Ils étaient ici, hier soir. Ils s'appellent...

— Les clients ne donnent pas leur nom. Il y en avait bien cinq cents, hier...

— J'ai des raisons de croire qu'ils viennent régulièrement.

Le barman haussa les épaules.

— Je dois servir mes clients. Pouvez-vous attendre dix minutes ?

Mais Wexford estima n'avoir que trop attendu depuis plus d'un an. Que d'autres prennent la relève, lui

180

ne pouvait en faire plus ! Jouant des coudes, il se dirigea vers la porte, incommodé par les couleurs, la fumée et les relents de boissons. Il y avait partout des formes colorées : ballons rouges et mauves, cônes translucides et brillants des bouteilles de liqueur, carreaux de verre colorés des fenêtres. La tête de Wexford commençait à lui tourner et il se rendit alors compte qu'il n'avait pas mangé de la journée. Cercles rouges et mauves, sphères de papier orange et bleu, ici un carreau vert, là un rectangle jaune et brillant...

Un rectangle jaune et brillant. Un déclic se produisit dans son cerveau. Coincé entre un homme en veston de cuir et une femme en manteau de fourrure, il fixa ce rectangle jaune, du liquide dans un grand verre, puis il vit une main prendre ce verre et l'escamoter hors de sa vue.

Du Pernod. Une boisson peu populaire en Angleterre. Ginger en buvait avec de la bière et une autre personne, celle qu'il poursuivait, *sa chimère, le produit de son imagination* en buvait aussi, allongé d'eau.

Wexford avança lentement, jouant des coudes pour progresser en direction de cette table d'angle où il avait vu le verre jaune mais il ne put approcher à moins de trois pas. Il y avait trop de monde. Cependant, entre deux consommateurs debout, il l'aperçut enfin et la contempla avidement, comme un amoureux contemple la femme qu'il attendait depuis des mois.

Elle avait un joli visage, mais pâle, aux traits fatigués. Ses cheveux blonds et courts étaient foncés sur plus d'un centimètre à la racine. Elle était seule, mais sur la chaise à côté d'elle, il y avait un pardessus plié. Une demi-douzaine de valises s'empilaient contre le mur derrière elle. Elle leva son verre de nouveau et but une gorgée. Elle jetait des coups d'œil nerveux en direction d'une lourde porte en acajou marquée *Télé-phone et toilettes*. Wexford détailla sa chimère incarnée jusqu'à ce que des chapeaux, des cheveux et des visages s'interposent entre eux.

Alors il ouvrit la porte d'acajou et se trouva dans un couloir. Tout au bout du couloir, il y avait une cabine vitrée. Hathall y était enfermé et lui tournait le dos, penché sur le téléphone.

« Il téléphone à l'aéroport, se dit Wexford, pour savoir si son avion va partir, maintenant que le brouillard se dissipe. »

Il entra dans les toilettes des hommes et attendit. La porte en acajou s'ouvrit puis se referma avec un déclic. Wexford laissa passer une minute puis, à son tour, regagna le bar. Les valises avaient disparu et le verre jaune était vide. Ecartant les gens sans ménagement, il gagna la sortie et ouvrit la porte en grand. Hathall et sa compagne étaient sur le trottoir, entourés de leurs bagages, et s'apprêtaient à héler un taxi.

Wexford lança un coup d'œil à la voiture, capta le regard du sergent Hutton et leva le bras, en guise de signal. Deux des portières de la voiture s'ouvrirent simultanément et les deux policiers bondirent sur le pavé mouillé, comme mus par des ressorts. A ce moment, Hathall comprit. Il pivota pour leur faire face, son bras entourant la femme en un geste inutile de protection. A la lueur des lampadaires jaunes, sa mâchoire saillante, son nez pointu et son front haut parurent verdâtres. L'homme avait peur et se rendait compte que c'en était fini. Wexford s'avança vers lui.

— Nous aurions dû partir hier soir, Bob, dit la femme.

En entendant son accent, Wexford comprit cette fois absolument tout, mais en resta sans voix. Il laissa à Lovat le soin de s'approcher d'elle et de prononcer les paroles qui préludent à toute arrestation :

— Morag Grey...

Elle plaqua le dos d'une main sur ses lèvres trem-blantes et, comme dans ses rêves, Wexford vit à son index la petite cicatrice en forme de L.

XXIII

Veille de Noël.

Ils étaient tous arrivés et la maison de Wexford était pleine. A l'étage, les deux petits-fils étaient au lit. Dans la cuisine, Dora examinait la dinde et consultait Denise. Fallait-il l'embrocher ou la poser sur la plaque du four ? Dans le salon, Sheila et sa sœur décoraient l'arbre de Noël tandis que les enfants de Burden manipulaient l'électrophone.

— Il ne nous reste donc plus que la salle à manger, dit Wexford à son neveu.

La table était déjà mise pour le réveillon. Dans la cheminée, le bois était prêt et Wexford craqua une allumette pour l'enflammer en déclarant gaiement :

— Ça va m'attirer des ennuis mais je m'en moque ! Je me moque de tout maintenant que je l'ai trouvée. (Et il ajouta généreusement :) Grâce à toi, Howard.

— Je n'ai même pas été fichu de découvrir où elle habitait. Je suppose que tu le sais, à présent ?

— A Pembridge Road même. Hathall ne vivait que dans une pièce misérable mais pour elle il payait le loyer de tout un appartement. Sans vouloir me mon-trer sentimental à l'égard de Hathall, je dois dire que très certainement il l'aimait.

Wexford déboucha une bouteille de whisky, en versa un verre à Howard et s'en servit un aussi.

— Tu veux que je te raconte ?

— Y a-t-il grand-chose à raconter ? Mike Burden m'a déjà donné pas mal de détails sur cette Morag Grey, bien que je me sois efforcé de couper court, car je me doutais que tu tiendrais à me raconter tout ça toi-même.

— Mike Burden a son jour de repos aujourd'hui. Je ne l'ai pas revu depuis hier après-midi lorsque je l'ai quitté à l'aéroport de Londres. Par conséquent, il n'a pu te mettre au courant de tout. A moins que les journaux du soir n'en parlent ?

— Il n'y avait rien dans les premières éditions.

— Que t'a dit Mike, au juste ?

— Que cela s'était plus ou moins passé comme tu l'avais supposé, et que tous les trois étaient impliqués dans une escroquerie. Ce n'est pas ça ?

— Ma thèse, je te l'avoue, comportait beaucoup trop de lacunes.

Wexford rapprocha son fauteuil du feu.

— C'est bon de se détendre, tu ne trouves pas ? N'es-tu pas content de ne plus avoir à jouer les limiers et filer à West End Green ?

— Je n'ai vraiment pas fait grand-chose, mais je ne mérite pas que tu me laisses ainsi sur des charbons ardents.

— Exact ! Alors voici les faits... Il y a eu escroquerie à la paie. Hathall avait établi deux comptes fictifs, peut-être même davantage, peu de temps après avoir été embauché chez *Kidd*. Il en a tiré un maximum de trente livres par semaine pendant deux ans. Mais Morag Grey n'était pas dans le coup. Elle n'aurait jamais aidé quelqu'un à escroquer son employeur. Elle était honnête au point de ne pas garder un billet d'une livre trouvé sous un bureau, et d'une telle rectitude morale qu'elle n'a pas voulu continuer à vivre avec un homme qui avait volé deux livres cinquante. Donc, elle ne pouvait pas être dans le coup et encore moins l'avoir imaginé et être allée prélever de l'argent du compte de Mary Lewis, car Hathall n'a fait sa connaissance qu'en mars. Elle n'était alors employée chez *Kidd* que depuis deux semaines, soit trois mois avant que Hathall ne quitte la boîte.

— Mais il était sûrement très épris d'elle ? Tu l'as dit toi-même. Quel autre mobile...

— Hathall aimait *sa femme*. Oh ! je sais, nous avons décrété qu'il avait été la proie du démon de midi mais quelles preuves en avons-nous ?

Avec une légère gêne trop bien dissimulée pour que son neveu la remarquât, Wexford ajouta :

— S'il était si sensible au charme féminin, comment se fait-il qu'il ait repoussé les avances d'une séduisante voisine ? Et pourquoi donnait-il à tous ceux qui le connaissaient l'impression d'être un mari n'ayant d'yeux que pour sa femme ?

— Ecoute, dit Howard en souriant, si ça continue, tu vas me dire que Morag Grey n'a pas tué Angela Hathall !

— Mais oui, parfaitement puisque c'est Angela Hathall qui a tué Morag Grey.

Une plainte s'éleva dans la pièce à côté. Des petits pieds traversèrent précipitamment le plancher à l'étage puis on entendit un violent fracas dans la cuisine. Le bruit couvrit l'exclamation poussée par Howard.

— J'avoue que cela m'a drôlement surpris moi-même, poursuivit Wexford. Je n'ai commencé à entrevoir la vérité qu'hier, lorsque j'ai découvert combien Morag Grey était honnête et qu'elle était restée si peu de temps chez *Kidd*. Et j'ai définitivement compris lorsque, au moment de l'arrestation, j'ai entendu l'accent australien d'Angela.

— Mais l'identification, Reg ? Comment Hathall pouvait-il espérer s'en tirer ?

— Il s'en est pourtant très bien tiré pendant quinze mois. Tu vois, la vie retirée et secrète qu'ils menaient pour réussir leur escroquerie leur a servi lorsqu'ils ont projeté l'assassinat de Morag. En effet, il ne fallait pas qu'Angela se montre trop, pour ne pas risquer d'être reconnue quand elle irait effectuer des retraits d'argent sous le nom de Mary Lewis ou de Mrs Carter. Peu de gens la connaissaient, même de vue. Il y avait bien Mrs Lake évidemment ou Mark Somerset, le cousin d'Angela, mais qui aurait eu l'idée de faire appel à eux pour identifier le corps ? Tout naturellement, on a pensé au mari. Et pour le cas où il y aurait eu un doute quelconque, Robert Hathall avait pris le soin d'amener sa mère et de faire en sorte qu'elle soit la première à voir le cadavre. Angela avait revêtu Morag de ses vêtements, ceux-là mêmes qu'elle portait l'unique fois où sa belle-mère l'avait vue auparavant. De la très bonne psychologie, Howard, et je suis certain que tout cela a été mis au point par Angela. C'est la vieille Mrs Hathall qui nous a téléphoné et c'est elle qui a dissipé tout doute par avance en déclarant avoir trouvé sa belle-fille morte à Bury Cottage.

» Angela avait commencé à nettoyer la maison depuis des semaines *pour effacer ses propres empreintes*. Cela explique qu'elle ait eu des gants de caoutchouc pour la cuisine et des gants pour le ménage. La tâche n'a pas dû être trop difficile si l'on considère qu'elle vivait seule toute la semaine et que son mari n'était pas là pour ajouter ses propres empreintes. Si nous nous étions étonnés d'une telle netteté, quelle meilleure raison auraient-ils pu invoquer que l'obligation d'avoir un cottage impeccable pour l'arrivée de la vieille Mrs Hathall ?

— Ainsi l'empreinte de main avec la cicatrice en forme de L était celle d'Angela ?

— Bien sûr.

Wexford but son whisky lentement, faisant durer le plaisir.

— Les empreintes que nous pensions lui appartenir étaient celles de Morag, tout comme les cheveux trouvés sur la brosse. Angela a dû brosser la chevelure de la morte... c'est vraiment moche, ça. Les cheveux noirs plus épais étaient par contre les siens. Elle n'a pas eu à nettoyer la voiture au garage ou à Wood Green. Elle avait pu le faire à n'importe quel moment au cours de la semaine précédente.

— Mais comment expliquer qu'elle ait laissé cette seule empreinte de main ?

— Je pense pouvoir avancer une hypothèse. Le matin du jour où Morag fut assassinée, Angela s'était levée tôt pour achever le nettoyage de la maison. Elle astiquait la salle de bains, et avait peut-être ôté ses gants de caoutchouc pour mettre les autres afin de cirer le parquet, quand le téléphone a sonné. C'était Mrs Lake lui demandant si elle pouvait passer ramasser les mirabelles. Angela, évidemment nerveuse, a dû poser sa main nue sur le bord de la baignoire afin de se redresser quand elle a entendu la sonnerie.

» Morag parlait et sans doute lisait le gaélique. Hathall devait le savoir. Aussi, après avoir trouvé son adresse — il est vraisemblable que tous deux ne la perdaient guère de vue —, Angela a dû lui écrire — ou mieux aller la voir — pour lui demander si elle voulait bien l'aider dans certaines recherches qu'elle effectuait touchant les langues celtiques. Morag, une domestique, n'a pu qu'être flattée. Et de surcroît, elle avait besoin d'argent. C'est à cela, je pense, qu'elle faisait allusion lorsqu'elle avait parlé à sa voisine d'un bon travail en vue. Elle a laissé tomber ses ménages à ce moment-là et s'est inscrite au chômâge en attendant l'emploi d'Angela.

— Mais elle ne connaissait pas Angela ?

— Pour quelle raison l'aurait-elle connue ? Angela lui aura donné un faux nom et je ne vois pas pourquoi Morag aurait su quelle était l'adresse de Robert Hathall. Le 19 septembre, Angela est venue la chercher à Myringham, sous prétexte de discuter de leur travail futur et l'a conduite à Bury Cottage. Là, elle l'a fait monter à l'étage pour que Morag se lave les mains ou se repeigne, puis elle l'a étranglée avec son collier doré en forme de serpent... Ensuite, ce fut simple. Elle revêtit Morag de la chemise rouge et des jeans, imprima les empreintes de la morte sur quelques objets, lui brossa les cheveux, puis, gantée, elle prit la voiture et roula jusqu'à Londres. Là, elle a passé une nuit ou deux à l'hôtel en attendant de trouver une chambre et a patienté tranquillement jusqu'à ce que Robert puisse venir la rejoindre.

— Mais pourquoi, Reg ? Pourquoi avoir supprimé Morag ?

— C'était une femme honnête et elle avait découvert le trafic de Hathall. Morag était loin d'être sotte, tu sais, Howard. Elle faisait partie de ces gens qui sont riches de possibilités mais ont besoin que quelqu'un les pousse à développer leurs dons. Sa mère et son ancien employeur ont tous deux dit qu'elle valait mieux que le travail qu'elle effectuait. Son propre-à-rien de mari l'avait vraiment rabaissée à son propre niveau. Qui sait ? Elle eût peut-être été capable de conseiller un étymologiste en gaélique populaire. Elle a peut-être aussi pensé tenir là une occasion de s'améliorer maintenant qu'elle était débarrassée de Grey. Plus j'y réfléchis et plus je me dis qu'Angela était vraiment une très fine psychologue.

— Bon, je comprends tout cela, mais comment Morag a-t-elle eu vent de l'escroquerie ?

— Cela, avoua Wexford, je l'ignore encore. Je suppose que Hathall est resté tard un soir alors qu'elle travaillait là et qu'elle aura eu ainsi l'occasion de surprendre une conversation téléphonique entre Angela et lui touchant leurs manigances. Peut-être Angela avait-elle suggéré une fausse adresse à son mari et celui-ci l'aura rappelée ensuite pour s'assurer qu'il l'avait correctement notée, avant d'alimenter l'ordinateur. N'oublie pas qu'Angela était le véritable cerveau de l'affaire. Tu ne te trompais pas en disant qu'elle l'avait probablement influencé et corrompu. Hathall était le genre d'homme à ne pas faire davantage cas de la présence d'une femme de ménage que s'il s'agissait d'un meuble. Cependant, même s'il a parlé avec circonspection à sa femme, le nom Mary Lewis, et l'adresse, 19 Maynnot Way, ont dû mettre la puce à l'oreille de Morag. C'était juste en bas de la route où son mari et elle habitaient, or elle savait qu'aucune Mary Lewis ne demeurait là. Et si, de surcroît Hathall a entrepris de nourrir l'ordinateur aussitôt après avoir raccroché...

— Elle l'a fait chanter ?

— Je ne le crois pas car c'était une femme très honnête. Mais elle a pu lui dire avoir entendu l'adresse qu'il donnait au téléphone et lui assurer qu'il y avait certainement une erreur, car Mary Lewis n'habitait pas là. S'il s'est alors troublé — si tu savais comme il change de visage en pareil cas —, cela a pu inciter Morag à lui poser d'autres questions jusqu'à ce qu'elle ait une vague idée de ce qui se trafiquait.

— Et ils l'ont tuée pour *ça* ?

Wexford acquiesça.

— Pour toi comme pour moi, ce mobile paraît dérisoire mais pour eux ? Morag vivante, ils auraient

vécu dans la crainte car si l'on découvrait l'escroquerie, Robert perdait son emploi chez *Marcus Flower*, et
il ne trouverait plus jamais de travail dans la seule
branche où il était qualifié. Tu dois aussi garder en
tête qu'ils formaient un couple de paranoïaques. Ils
soupçonnaient même des gens inoffensifs de leur en
vouloir.

— Tu n'étais pas inoffensif, toi.

— Non, et peut-être suis-je la seule personne qui
ait jamais réellement persécuté Robert Hathall.

Wexford leva son verre presque vide.

— Joyeux Noël ! Si nous allions maintenant rejoindre les autres ? Il me semble avoir entendu Mike
arriver en compagnie de mon gendre.

L'arbre de Noël était entièrement garni et Sheila
dansait avec Mike Burden au son de l'électrophone.
Les enfants avaient déballé les cadeaux : une poupée
de chez *Kidd*, une boîte de peinture, un globe terres-
tre, un livre d'images et une voiture. Wexford prit sa
femme et Pat Burden par la taille pour les embrasser
sous le gui puis, en riant, il dégagea un bras et fit
tourner le globe. Celui-ci pivota trois fois autour de
son axe avant que Burden comprenne l'allusion.

— Elle tourne. Vous aviez raison. Il était coupable.

— Mais vous n'aviez pas tort non plus, Burden.
Hathall n'a pas assassiné sa femme.

Voyant le regard incrédule de Burden, Wexford
ajouta :

— Je sens qu'il va me falloir de nouveau raconter
toute l'affaire.

Les Reines du Crime

Nouvelles venues ou spécialistes incontestées, les grandes dames du roman policier dans leurs meilleures œuvres.

BLACKMON Anita
1912 On assassine au Richelieu
1956 On assassine au Mont-Lebeau

BRAND Christianna
1877 Narcose
1920 Vous perdez la tête

CANNAN Joanna
1820 Elle nous empoisonne

CHRISTIE Agatha
(86 titres parus, voir catalogue général)

CURTISS Ursula
1974 La guêpe

DISNEY Dorothy C.
1937 Carnaval

DISNEY D.C. & PERRY G.
1961 Des orchidées pour Jenny

EBERHARDT Mignon
1825 Ouragan

GOSLING Paula
1971 Trois petits singes et puis s'en vont
1999 L'arnaque n'est plus ce qu'elle était
        (mars 90)

KALLEN Lucille
1816 Greenfield connaît la musique
1836 Quand la souris n'est pas là...

LEE Gypsy Rose
1893 Mort aux femmes nues
1918 Madame mère et le macchabée

LE FAUCONNIER Janine
1639 Le grain de sable
1915 Faculté de meurtres
        (Prix du Festival de Cognac 1988)

LONG Manning
1831 On a tué mon amant
1844 L'ai-je bien descendue ?
1988 Aucun délai

McCLOY Helen
1841 En scène pour la mort
1855 La vérité qui tue

McGERR Pat
1903 Ta tante a tué

McMULLEN Mary
1921 Un corps étranger

MILLAR Margaret
 723 Son dernier rôle
1845 La femme de sa mort
1896 Un air qui tue
1909 Mortellement vôtre
1982 Les murs écoutent
1994 Rendons le mal pour le mal
        (fév. 90)
1996 Des yeux plein la tête *(mars 90)*
2010 Un doigt de folie *(mai 90)*

MOYES Patricia
1824 La dernière marche
1856 Qui a peur de Simon Warwick ?
1865 La mort en six lettres
1914 Thé, cyanure et sympathie

NATSUKI Shizuko
1861 Meurtre au mont Fuji
1959 La promesse de l'ombre
        (Prix du Roman d'Aventures 1989)

NIELSEN Helen
1873 Pas de fleurs d'oranger

RADLEY Sheila
1977 Trois témoins qui lui voulaient du
        bien

RENDELL Ruth
1451 Qui a tué Charlie Hatton ?
1501 Fantasmes
1521 Le pasteur détective
1563 L'enveloppe mauve *(mai 90)*
1582 Ces choses-là ne se font pas
1616 Reviens-moi
1629 La banque ferme à midi
1649 Le lac des ténèbres
1718 La fille qui venait de loin
1815 Morts croisées
1951 Une amie qui vous veut du bien
1965 La danse de Salomé

IMPRIMÉ EN FRANCE PAR BRODARD ET TAUPIN
Usine de La Flèche (Sarthe).
ISBN : 2 - 7024 - 2051 - 6
ISSN : 0297 - 7168

H 52/0186/8